Faire les Français
Quelle identité nationale ?

DU MÊME AUTEUR

Le Roman du quotidien. Lecteurs et lectures populaires à la Belle Époque, Chemin vert, 1984 ; Seuil, coll. « Points », 2000
Ils apprenaient la France. L'exaltation des régions dans le discours patriotique, Maison des sciences de l'homme, 1997
La Création des identités nationales, Seuil, 1999 ; Seuil, coll. « Points », 2001

Anne-Marie Thiesse

Faire les Français

Quelle identité nationale ?

Stock

Parti pris

Ouvrage dirigé par
François Azouvi

ISBN 978-2-234-06495-9

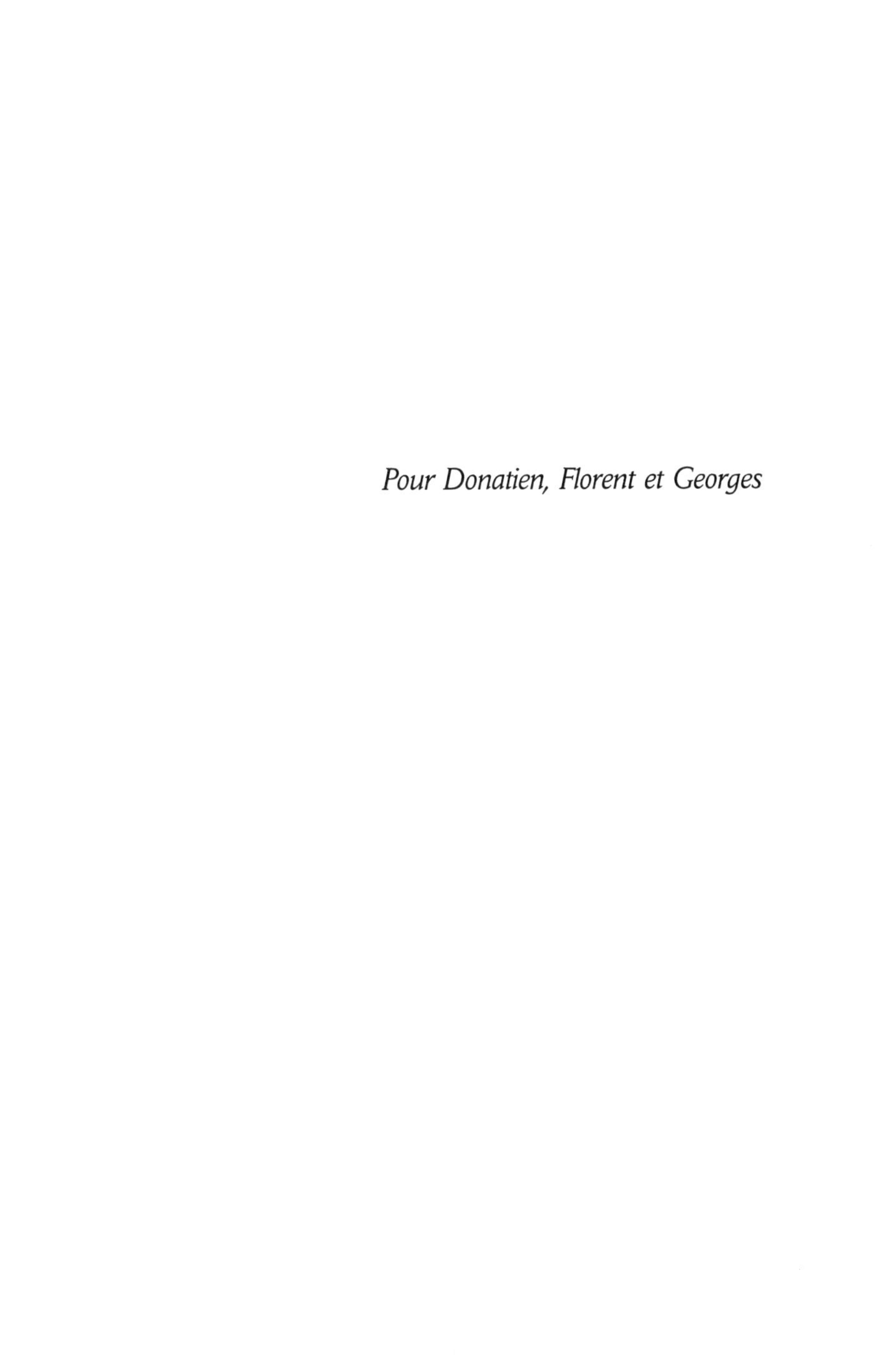

Pour Donatien, Florent et Georges

Introduction

Quelle identité nationale ?

Le succès d'une expression tient-il à son obscurité ? Le foisonnement actuel des références à l'identité nationale semble le prouver. En France, le terme figure depuis 2007 dans l'intitulé d'un ministère qui a lancé à l'automne 2009 un grand débat sur le sujet. L'opération a fait la une des médias pendant des semaines et soulevé quantité de commentaires et de controverses. On lui accordera le mérite d'avoir mis en évidence que la définition de l'identité nationale ne va franchement pas de soi. S'agit-il de la symbolique étatique (le drapeau, *La Marseillaise*) ou de la langue française ? Du port de la casquette ou de l'histoire nationale ? Des châteaux de la Loire ou des valeurs républicaines ? Des services publics ou des 365 fromages ? De nos ancêtres les Gaulois ou de la laïcité ?

La cohérence de cette liste hétéroclite n'a rien d'évident, ni son rapport avec la citoyenneté. Or c'est sur cette relation que tournent tous les questionnements actuels. Faut-il détenir l'identité nationale et le prouver pour obtenir la citoyenneté ? L'identité nationale est-elle déterminée par la naissance ou par l'éducation ? Relève-t-elle du registre culturel, voire biologique, ou bien politique ? Peut-on changer d'identité nationale, en avoir plusieurs ou aucune ?

Les invocations à l'identité nationale ne sont pas spécifiques à la France. Elles sont aujourd'hui au cœur de nombreux conflits entre États et s'expriment en revendications de territoires ou de populations. Elles peuvent aussi, comme dans le cas français, alimenter des affrontements politiques en interne à propos du traitement de la population vivant sur le territoire national. Cette actualité internationale de l'identité nationale tient au fait que la plupart des États contemporains se présentent comme des États-nations. La forme nationale s'est imposée avec succès, sur toute la planète, comme la base la plus normale, la plus légitime pour un État. Elle n'a pourtant qu'un peu plus de deux siècles d'existence. Les revendications toujours vives d'indépendance nationale à divers points de la planète témoignent de sa vitalité. Pourtant, les interrogations inquiètes à son sujet ont pris en France depuis les années 1980 une place centrale dans les débats politiques. Les transformations de l'économie et des échanges fragilisent d'importantes catégories de la population. L'immigration, qui n'est pas un phénomène récent, est en période de crise perçue comme une concurrence contre la main-d'œuvre locale et donc un facteur de dégradation de sa situation. Non seulement en termes d'emploi mais en termes d'accès aux bénéfices d'un *welfare state* de plus en plus sollicité. Au cœur des débats sur l'identité nationale est en jeu la fonction de l'État-nation, sa capacité à réguler les forces agissant sur la société, à mettre en œuvre une volonté générale, à faire progresser le bien-être collectif, à protéger la population, à organiser la solidarité. Et aussi son aptitude à entretenir une représentation valorisée de la communauté nationale et de ses membres.

Mais si l'identité nationale mérite qu'on s'y intéresse, c'est parce que le sujet excède largement l'opposition sommaire entre nationaux de plus ou moins vieille souche et immigrés de plus ou moins lointaine origine. Une réflexion sur l'identité nationale permet de comprendre comment la communauté de citoyens a pu se constituer, fonctionner et évoluer. En 1789, la nation fut déclarée souveraine. La proclamation était révolutionnaire : restait à donner corps à cette abstraction. Il fallait transformer un royaume de sujets en nation de citoyens, donner forme et force à la nouvelle société d'individus déclarés libres et égaux. L'identité nationale, c'est le fruit d'un processus complexe, traversé d'antagonismes violents, mais aussi porteur d'une dynamique créative, qui a fourni des réponses à ces défis. Pour traiter de l'identité nationale, on suivra donc ici une perspective historique. L'identité nationale n'est pas une substance permanente mais un ensemble de représentations évolutives, et la situation présente est souvent le fruit de changements plus récents que nous le croyons. Comprendre l'identité nationale, c'est aussi poser la question de la modernité. L'âge des nations est une succession de changements radicaux, économiques, politiques, culturels qui, dans les deux derniers siècles, ont bouleversé le mode de vie et de pensée des populations. Des idéaux nouveaux ont été formulés, dont les noms sont inscrits au fronton des édifices publics : liberté, égalité, fraternité, solidarité. L'âge des nations, c'est celui où sont nés l'enseignement public et la presse, le suffrage universel et les monuments historiques, les syndicats et les sports. Mais cette société moderne tournée vers l'avenir, aspirant au progrès, a aussi développé un rapport intime au passé et à la tradition. L'identité nationale est au cœur de la nouvelle articulation qui s'est établie entre changement et stabilité.

Nous sommes aujourd'hui confrontés à de nouvelles mutations économiques, culturelles et politiques, désignées sous le terme générique de mondialisation. Nos sociétés sont encore largement déterminées par les institutions et les conceptions de l'âge national. Sont-elles encore opérantes et assez évolutives pour nous permettre d'affronter la nouvelle situation ? Le principal problème, aujourd'hui, est sans doute la difficulté de nos sociétés à concevoir le futur. Le progrès technologique qui enthousiasma nos ancêtres nous semble avoir dramatiquement mis en péril la planète, et les idéaux de transformation politique du monde avoir trahi leurs promesses. Ce désenchantement de l'avenir engendre une vision angoissée du présent et sa perception comme déclin tragique. Elle se cristallise aujourd'hui dans les références à l'identité nationale, invoquée comme barrière protectrice contre les changements de toutes sortes. Repenser l'identité nationale comme composante de la modernité, c'est aussi une invite à ré-imaginer de possibles avenirs.

I

L'ÉTAT, C'EST NOUS !

« Le principe de toute souveraineté réside essentiellement dans la Nation. Nul corps, nul individu ne peut exercer d'autorité qui n'en émane expressément. »

Article 3 de la Déclaration des droits de l'homme et du citoyen, 26 août 1789.

L'expression « identité nationale » est récente : elle est apparue dans les années 1980. Elle fait suite à des formules comme « esprit national », « génie national » ou « culture nationale » qui toutes font référence à la double forme de la nation, à la fois corps politique détenteur de la souveraineté et communauté d'individus définie par une culture partagée. Cette double détermination et ses conséquences nécessitent d'autant plus une explication que la nation est la forme étatique par excellence de la modernité.

NAISSANCE DES NATIONS

« Nation » est un terme d'emploi courant. Il n'a pourtant aucune définition stricte. L'Organisation des Nations unies a succédé à la Société des Nations. En dépit du nom, les membres de cette organisation internationale sont définis officiellement comme des États. La notion d'État n'est pas non plus univoque, mais elle est liée à l'idée de souveraineté, de territoire, d'institutions politiques et administratives. Quel rapport alors entre État et nation ? Comme l'a noté avec humour l'historien Eric Hobsbawm : « Une fois extraite, comme un mollusque, de la coquille apparemment dure de l'État-nation, la nation se présente sous une forme nettement flasque et gélatineuse. » Forme « molle », sans doute, mais elle s'avère aussi délicate à manier qu'une grenade dégoupillée ! On peut sans risque d'erreur, ni risque tout court, chiffrer les États membres de l'Union européenne. En revanche, se lancer dans l'évaluation du nombre de nations inclues dans l'Union, c'est ouvrir la boîte de Pandore de conflits brûlants : combien y a-t-il de nations en Espagne, en Belgique, au Royaume-Uni, en Roumanie ? La croissance impressionnante du nombre d'États sur la planète au XXe siècle est due à l'expansion du principe de l'État-nation :

c'est-à-dire l'association d'une souveraineté étatique à une communauté qui se considère – et est considérée – comme une nation. Le postulat contemporain est qu'un État normal correspond à une nation. L'éclatement des États multinationaux, comme l'URSS, la Yougoslavie, la Tchécoslovaquie, ou, inversement, la réunification allemande le montrent bien. La nation, donc, est tenue aujourd'hui pour base légitime de l'État, mais sa définition reste subjective. Une nation est formée d'individus qui considèrent avoir une appartenance commune et veulent la faire reconnaître par les autres nations.

Longtemps le terme nation, dont l'étymologie latine renvoie au verbe *nascere* (naître), a été utilisé pour désigner toutes sortes de groupes de vivants, animaux ou humains. Dans les universités du Moyen Âge, les étudiants étaient classés en fonction de leurs lieux d'origine, sans références étatiques. À l'Université de Paris, les nations de France, de Picardie, de Normandie et de Germanie assuraient assistance et protection à leurs membres. L'usage actuel du terme nation est apparu au XVIIIe siècle, en lien avec des considérations nouvelles sur le pouvoir et la souveraineté. Les références à la nation et au peuple étaient alors au cœur de la mise en cause des fondements des États monarchiques. Le marquis d'Argenson, conseiller d'État sous le règne de Louis XV, s'étonnait : « Jamais l'on n'avait répété les noms de *nation* et d'*État* comme aujourd'hui. » Il ajoutait : « Ces deux noms ne se prononçaient jamais sous Louis XIV, et l'on n'en avait pas seulement l'idée. On n'a jamais été si instruit qu'aujourd'hui des droits de la nation et de la liberté[1]. »

L'idée de nation a cristallisé en relation avec celle d'individu. On les tient souvent pour antagonistes, alors qu'elles sont complémentaires. Elles correspondent aux nouvelles manières de concevoir les relations entre le divin, le pouvoir et les humains qui se sont formées depuis la Renaissance. La pensée séculière se développant ne faisait plus dépendre les affaires humaines uniquement de la volonté divine. Ce qui ouvrait une série d'interrogations : comment penser le pouvoir sans référence à la volonté de Dieu ? Comment établir des rapports pacifiques entre les individus, alors que leurs intérêts personnels divergents sont propices à entretenir conflits et violence ? Quel principe fédérateur peut éviter l'état de guerre ou d'anarchie permanente et faire émerger une volonté commune répondant à l'intérêt général ? Ces questions étaient au cœur de la philosophie

1. René Louis de Voyer de Paulmy d'Argenson, *Journal et Mémoires*, t. VIII, Paris, Renouard, 1859-1867.

politique du XVIIIe siècle. L'idée de nation, à bien des égards, en fut la réponse.

Dans son *Contrat social* (1762), Jean-Jacques Rousseau proposait de « trouver une forme d'association qui défende et protège de toute la force commune la personne et les biens de chaque associé et par laquelle chacun, s'unissant à tous, n'obéisse pourtant qu'à lui-même, et reste aussi libre qu'auparavant[1] ». Les clauses du Contrat social se réduisent toutes à une seule : l'aliénation totale de chaque associé avec tous ses droits à toute la communauté. La volonté générale, au nom de l'intérêt commun, peut et doit contraindre les volontés particulières.

L'idée moderne de nation se précise : c'est un ensemble d'individus qui ont vocation à s'unir pour exprimer une volonté commune et l'exercer au nom de l'intérêt général. Un collectif dans lequel les individus aliènent librement leurs droits pour mieux les protéger. Mais quels sont les individus qui ont vocation à conclure un tel contrat ? L'humanité tout entière ? La pensée du XVIIIe siècle a une dimension universaliste qui inspire la Déclaration des droits de l'homme et du citoyen. La Déclaration est proclamée en août 1789 par « Les Représentants du Peuple français, constitués

1. Jean-Jacques Rousseau, *Du Contrat social*, in *Écrits politiques*, Paris, Le Livre de Poche, 1992.

en Assemblée nationale », mais aucun de ses articles ne mentionne la nation française ni la France. Les principes énoncés sont totalement universels : ils doivent guider la constitution du gouvernement de toute nation.

Mais comment définir chaque nation souveraine et déterminer la qualité commune des hommes appelés à composer ce corps politique ? Est-ce, justement, une même conception du politique, ou bien le fait de résider sur le même territoire, ou encore une appartenance – culturelle, ethnique – commune ? La Déclaration n'en dit mot et, à travers le cas précis de la France révolutionnaire, on voit bien que la réponse, en 1789, n'est pas encore claire.

Faire les Français

La nation prend forme à l'été 1789 dans le royaume de France, dont les sujets deviennent citoyens. La première préoccupation des révolutionnaires n'est pas de distinguer entre Français et étrangers mais d'unifier les habitants du royaume. Peu avant la Révolution, la France avait été qualifiée d'« agrégat inconstitué de peuples désunis ». La monarchie avait formé son territoire par des conquêtes et des alliances, en laissant souvent aux populations annexées tout ou partie des statuts qui les régissaient antérieurement. Cette hétérogénéité était fréquente dans les États de l'ère prénationale : seule l'homogénéité religieuse de la population avait paru importante, surtout après les guerres de Religion. La population était d'autre part divisée en ordres (noblesse, clergé, tiers état) dont les ressortissants avaient des statuts très distincts. La Révolution entreprend d'abord d'abolir les différences juridiques et les privilèges, sociaux et locaux, ce qui est effectué spectaculairement dans la nuit du 4 août 1789. Les anciens sujets deviennent des citoyens libres et égaux en droit (du moins la partie masculine). D'autre part, selon une loi de mai 1790, une grande partie des étrangers établis en France deviennent français. Mais les Français partisans de l'Ancien Régime qui émigrent et participent à l'armée des princes contre la France révolutionnaire sont tenus pour ennemis de la nation et en sont donc exclus. Inversement, la citoyenneté française est accordée à quelques étrangers illustres « qui, par leurs écrits et par leur courage, ont servi la cause de la liberté, et préparé l'affranchissement des peuples, [et] ne peuvent être regardés comme étrangers par une Nation que ses lumières et son courage ont rendue libre » (loi du 26 août 1792).

Au cri de « Vive la Nation ! », les troupes de patriotes affrontent à la bataille de Valmy

(20 septembre 1792) les armées contre-révolutionnaires, qui comptent plusieurs milliers d'émigrés français. La République est proclamée au lendemain de la victoire. La guerre civile, la guerre aux frontières, le régime de la Terreur multiplient les arrestations et les exécutions d'« ennemis de la nation », catégorie dont la définition est de plus en plus large : prêtres réfractaires, suspects et condamnés en nombre croissant, originaires des pays en guerre contre la France. Le Prussien Anacharsis Cloots, l'un des « citoyens étrangers » de l'été 1792, élu député de l'Oise, finit guillotiné en mars 1794. L'Américain Thomas Paine, autre député étranger, est emprisonné mais échappe à l'exécution. Après la Terreur, les émigrés rentrent progressivement en France. L'amnistie générale est proclamée en avril 1802. Avec le Code civil promulgué en 1804 apparaît un nouveau concept juridique : « la nationalité ». Désormais, la qualité de Français est affaire de filiation : est Français celui qui a un père français, quels que soient ses lieux de naissance ou de résidence. Le « droit du sang » (*jus sanguinis*) définit la nationalité française. Il sera complété en 1889 par le « droit du sol » (*jus soli*) sur lequel on reviendra dans un chapitre ultérieur[1].

1. Voir Patrick Weil, *Qu'est-ce qu'un Français ? Histoire de la nationalité française depuis la Révolution*, Paris, Grasset, 2002.

LA NATION : POLITIQUE OU CULTURELLE ?

On a souvent parlé, ces dernières années, d'une opposition entre deux conceptions de la nation. D'un côté, il y aurait une conception française, correspondant aux idéaux de la Révolution française, qui définirait l'appartenance nationale par l'adhésion contractuelle et libre à un corps politique. De l'autre, il y aurait une conception allemande, issue du mouvement romantique, qui définirait l'appartenance par des critères ethniques et culturels. Cette opposition a ses origines dans une polémique entre intellectuels allemands et français, à la fin du XIXe siècle, à propos de l'appartenance nationale d'un territoire précis, l'Alsace. Une expression extraite d'une conférence donnée par Ernest Renan[1] dans ce contexte est souvent citée pour preuve du caractère contractuel de l'appartenance nationale des Français : « La nation est un plébiscite renouvelé de tous les jours. » Mais les Alsaciens, dont la nationalité a changé plusieurs fois après 1870, selon le sort des armes, n'ont jamais été consultés par plébiscite avant leurs rattachements à la France.

Quoi qu'il en soit, l'opposition entre nation politique et nation culturelle ne permet absolument pas

1. Ernest Renan, « Qu'est-ce qu'une nation ? », conférence donnée en Sorbonne le 11 mars 1882.

de classer les nations qui existent réellement sur la planète. La conception de la « nation à la française » comme fruit d'un contrat politique esquive d'ailleurs l'importance des références culturelles dans la définition de la France après 1789 : dès la Révolution, la langue française a été désignée comme élément majeur de l'appartenance nationale et « nos ancêtres les Gaulois » ont suscité une grande ferveur sous la IIIe République. Cela dit, il y a bien un rapport étroit entre nation, culture et politique.

La nation moderne est toujours définie à la fois dans l'ordre politique et dans l'ordre culturel. Cette double détermination est sans doute le principal facteur expliquant le succès et l'universalisation de la forme nationale pour les États modernes.

Faire de la nation la résultante d'un choix rationnel et libre : c'est bien l'idéal du contrat social par lequel chaque individu consent à aliéner sa liberté dans l'expression de la volonté générale. Mais cet idéal est fort peu praticable dans la réalité ! Si l'adhésion de chacun à la communauté nationale donnait lieu à « un plébiscite renouvelable tous les jours », le corps souverain serait totalement instable et donc impuissant à faire exécuter la volonté générale et garantir les droits des individus. L'idéal contractuel, en fait, ne va pas s'exprimer dans des changements à volonté d'appartenance à telle ou telle nation (une minorité d'individus changent de nationalité au cours de leur vie, et en général une seule fois). Cet idéal nourrit plutôt les aspirations démocratiques à pouvoir exprimer librement des choix politiques au sein de la nation d'appartenance. En fait, un individu est supposé appartenir à une nation parce qu'il partage, avec les autres membres de cette communauté, des caractéristiques communes, principalement une même culture.

La conception moderne de la nation résulte donc de l'association entre un principe politique – universel et abstrait – et une définition culturelle – particularisante et concrète. Bien sûr, dans la formation et le fonctionnement de chaque nation, depuis deux siècles, l'accent a été mis, selon les périodes, sur un aspect plus que sur l'autre. Mais c'est leur alliance, constituant un « universel du particulier », qui explique la généralisation du principe national.

NATIONALITÉ ET CITOYENNETÉ

En France, comme en beaucoup d'autres pays, nationalité et citoyenneté sont tenues aujourd'hui pour des termes synonymes. L'État est considéré comme « mononational », ses ressortissants appartenant à la même nation, définie par une culture commune. Mais tout voyageur s'étant rendu en URSS, ou dans l'actuelle Russie, a dû remplir un formulaire lui demandant sa citoyenneté puis, à la ligne suivante, sa nationalité. Les États qui se définissent actuellement comme multinationaux se sont en général constitués dans de vastes empires. Établir la coexistence dans l'État de plusieurs nations devait éviter deux problèmes : la fragmentation en États-nations distincts (cas de l'Empire austro-hongrois, démantelé après sa défaite en 1918) ; l'impossible homogénéisation d'une population très disparate, notamment sur le plan linguistique. En URSS, la citoyenneté commune était soviétique, les citoyens relevant de nationalités définies selon des critères hétérogènes (Russes, Ouzbeks, Arméniens, mais aussi Juifs ou Allemands). Dans d'autres cas, l'État reconnaît l'existence de minorités dotées de droits culturels spécifiques, toujours sujets à contestation. Les États multinationaux sont considérés aujourd'hui comme peu stables, sauf à suspendre les droits démocratiques. Mais l'homogénéité nationale a toujours été le fruit d'un processus et non une situation préexistant à la modernité. Dans certains pays, elle a été effectuée avec une grande violence : par l'expulsion de populations dites « allogènes » (en 1923, il y a eu de massifs échanges de population entre la Grèce et la Turquie pour homogénéiser leurs populations) ou par des nettoyages ethniques d'extermination. Actuellement, le statut officiel d'État mononational est contesté dans divers pays d'Europe : en Belgique et en Espagne, notamment, sur base linguistique ; en Italie, où la Ligue du Nord, au nom de la Padanie, conteste l'unité italienne et la solidarité fiscale avec le sud du pays.

La citoyenneté européenne a été introduite par le traité de Maastricht : « Est citoyen de l'Union toute personne ayant la nationalité d'un État membre. La citoyenneté de l'Union s'ajoute à la citoyenneté nationale et ne la remplace pas. » La citoyenneté européenne est indirecte, comme extension de la citoyenneté/nationalité d'un État membre. Mais peut-on assimiler la citoyenneté européenne à une nationalité européenne ? La réponse n'est pas claire et la question de la nationalité/identité européenne est un des grands problèmes irrésolus de l'Union.

II

Identiques et par millions ?

« (Identité) : le mot m'a séduit, mais n'a cessé, des années durant, de me tourmenter. [...] Manifeste est son ambiguïté : il est une série d'interrogations ; vous répondez à l'une, la suivante se présente aussitôt, et il n'y a pas de fin. »

Fernand Braudel, *L'Identité de la France,* 1986.

Il est pour le moins curieux que la notion d'identité, qui cerne *a priori* un élément unique, soit appliquée à un collectif comme la nation qui compte des millions d'êtres. Nous ne vivons pas dans un de ces univers décrits par la science-fiction où évoluent des masses de clones. Les êtres partageant une identité sont aussi dissemblables sur bien des points. Les applications du terme identité à des groupes sont d'ailleurs récentes. Leur existence politique a commencé avec les mouvements d'affirmation des « minorités », dans les années 1960-1970.

Identité : de la psychologie à la sociologie

L'identité, dans son sens premier, caractérise l'unique, le singulier. Dans le domaine mathématique, l'identité établit que deux objets, représentés par deux écritures différentes, ne font qu'un. Les « papiers d'identité », à commencer par la carte nationale d'identité, servent à définir un individu et lui seul. Le sens actuel, qui étend la singularisation à un collectif, s'est dessiné à partir des années 1950. Non par hasard, il a pris naissance dans l'œuvre qu'un psychologue, Erik Erikson, a consacré aux rapports entre individu et groupe social.

Né en Allemagne en 1902, d'origine juive danoise, Erikson s'était formé à la psychanalyse dans le cercle freudien à Vienne avant d'émigrer aux États-Unis pour fuir le nazisme. Aux États-Unis, Erikson découvre les travaux des anthropologues culturalistes, comme Margaret Mead, qui s'interrogeaient sur les relations entre les modèles culturels d'une société et le type de personnalité de ses membres. Erikson oriente ses recherches sur la construction du Moi et mène des observations sur le développement des enfants. Travaillant dans des réserves d'Indiens sioux, il étudie les effets du déracinement pour ces populations confrontées à une modernité subie. Son livre *Enfance et société*, publié en 1950, met l'accent sur le rôle des interactions sociales dans l'élaboration de la personnalité. Erikson forge la notion de « crise d'identité », qui a été abondamment vulgarisée en psychopédagogie pour désigner les moments marquant les passages entre séquences du développement psychosocial de l'individu.

Dans les années 1960, des sociologues américains popularisent aussi la notion d'identité pour rendre compte des relations entre individu et groupe. Leurs études portent sur les processus par lesquels un individu élabore la conscience de soi à travers les interactions sociales. Un des représentants de cette sociologie dite interactionniste, Erving Goffman, publie en 1963 l'étude *Stigma : Notes on the Management of Spoiled Identity* (titre français : *Stigmate. Les usages sociaux des handicaps*). Un stigmate est un élément qui disqualifie son possesseur (handicap physique, couleur de peau, appartenance sexuelle ou sociale) et l'expose à des sanctions sociales diverses : mépris, exclusion, violence, etc. Fréquemment, le stigmate est traité par les individus « normaux » comme une propriété qui permettrait de définir le comportement de son porteur (« Un Noir, une femme, un homosexuel, c'est comme ça. »). La sociologie contemporaine parle souvent de « retournement du stigmate » pour désigner un type particulier de positionnement des individus discriminés. Cette opération consiste à donner une valeur positive à un stigmate et en faire l'emblème d'un groupe. L'identification stigmatisante imposée par autrui, subie initialement comme une source de honte et de mise à l'écart sociale, est alors transformée en identité revendiquée, objet de fierté et base de revendications (« oui, nous sommes des Noirs, des femmes, des homosexuels, c'est notre identité et nous en sommes fiers. »). Depuis les années 1960, les formes de la protestation sociale usent de plus en plus du terme « identité » dans cette perspective. En commençant par les États-Unis, avec la naissance du mouvement culturel *Black is beautiful* et du mouvement politique des Black Panthers en 1966. Le mouvement féministe, en plein essor au tournant des années 1960-1970, fait aussi usage de la notion d'identité, qui passe rapidement en Europe. Elle connaît un grand succès au sein des mouvements régionalistes : il est beaucoup question d'identité bretonne, basque, occitane ou corse dans la France des années 1970.

C'est seulement dans les années 1980 que le terme « identité » commence à être associé non plus à une minorité discriminée, mais à la majorité, c'est-à-dire à la nation. Le livre posthume de Fernand Braudel, *L'Identité de la France,* paru en 1986, a été l'un des premiers usages savants du terme identité associé à la nation. Si l'identité est transposée des minorités à la nation, est-ce parce que cette dernière est désormais assimilée à une catégorie discriminée ? En 1985, le Club de l'Horloge, club de réflexion se réclamant de la Nouvelle Droite, publie un ouvrage intitulé *L'Identité de la France*[1] dont la présentation indique « L'identité de la France est en péril », et l'impute à « une immigration non maîtrisée ». C'est la thématique développée par le Front national, qui commence son ascension électorale en 1984, lors d'élections européennes où il obtient plus de 10 % des suffrages. Il occupe dès lors une place importante sur la scène politique française, son leader accédant au second tour de l'élection présidentielle en 2002. Dans d'autres pays européens, des mouvements analogues, se réclamant de la défense nationale contre l'immigration, émergent à la même époque. Ils trouvent une part importante de leur audience dans des populations dont le statut est dégradé par les transformations de la production (désindustrialisation, extinction de l'agriculture traditionnelle).

Le thème de la défense nationale contre l'étranger n'est pas nouveau : il a alimenté depuis deux siècles une grande quantité de guerres européennes. Mais l'ennemi a désormais changé de forme. Auparavant,

1. Le Club de l'Horloge, *L'Identité de la France*, Paris, Albin Michel, 1985.

il était séparé de nous par des frontières et l'armée devait veiller à le cantonner dans ses terres. À l'issue de deux guerres mondiales et de la construction européenne, la guerre froide étant terminée, nous ne situons plus l'étranger hostile de l'autre côté d'une ligne de fortins ou de barbelés. L'ennemi qui paraît redoutable dans les débats actuels n'est pas susceptible d'envahir notre territoire sous l'uniforme et drapeau en tête : les traits qu'on lui prête sont plutôt ceux d'un *alien* qui, se jouant des frontières, se glisserait en nos cités et nos campagnes pour modifier notre culture à son image. Angoisse du tournant de millénaire : l'identité nationale serait la proie de forces ennemies d'un nouveau type, l'une arrivant depuis le pôle de la puissance économique en déferlantes commerciales, l'autre depuis les continents de la pauvreté en infiltrations clandestines. La thématique de l'intégration qui désormais ne fonctionnerait plus face à des populations d'une radicale altérité exprime les angoisses de sociétés qui doutent de leur capacité à se reproduire et donc à poursuivre leur existence. Dans cette perspective, l'identité est perçue comme une donnée immuable, un talisman précieux venu du passé qui perdrait son pouvoir sur les nouveaux venus et même sur les nouvelles générations.

Représentants et représentations de la nation

L'identité nationale n'est pas une essence ni une permanence. C'est une mise en forme, une mise en scène, une mise en récit de la communauté. Les termes de « mythes », d'« invention », de « fiction » sont donc parfois utilisés à ce propos. Mais ce n'est pas une affaire de mensonges plus ou moins grossiers et manipulateurs inventés par quelques individus cyniques. Nécessaire à la conscience que la communauté a de son existence, elle est une trame enchevêtrant des fils variés, avec des motifs divers, et toujours recommencée. Seules les périodes totalitaires sont marquées par la volonté d'imposer une représentation unique et rigide de la nation, excluant variations ou contrepoint.

Dans un ouvrage célèbre publié en 1983, qui a inauguré le renouveau des études sur le phénomène national, Benedict Anderson, professeur à l'université Cornell, a désigné les nations comme des *imagined communities*[1]. Ce sont des communautés imaginées parce que, dit Anderson, même les membres d'une toute petite nation ne connaîtront jamais la plupart de leurs concitoyens « alors que dans l'esprit

1. Benedict Anderson, *Imagined Communities*, London, Verso, 1983. Traduction française : *L'Imaginaire national*, Paris, La Découverte, 1996.

de chacun vit l'image de leur communion ». Mais l'expression introduit aussi l'idée de « communautés imagées ». Les nations modernes ont été mises en images, en mots, en musique, en symboles. Grâce à quoi chaque membre de la nation peut imaginer l'ensemble et savoir la place qu'il y tient. La nation moderne, donc, existe par un double système de représentation : l'un, proprement politique, concerne l'exercice de la souveraineté par des représentants élus de la nation ; l'autre, culturel, met en forme les contours, les particularités, le patrimoine de la nation et permet ainsi à ses composantes de se connaître et de connaître leur unité.

La métaphore de la famille est la plus fréquente pour traiter de la nation. L'identité nationale s'apparenterait ainsi à cet ensemble de récits et de rites par lesquels une famille se raconte, se définit et évolue, pour elle-même et pour l'accueil de nouvelles générations et de nouveaux membres, conjuguant donc sans cesse tradition et innovation. Parler de l'identité nationale, c'est donc évoquer une construction d'une grande complexité, à la fois plastique et structurante, qui affirme la stabilité de la communauté en permettant son renouvellement.

III

UN PASSÉ POUR LE FUTUR

> « L'histoire, et plus précisément l'histoire nationale, s'est toujours écrite du point de vue de l'avenir. C'est en fonction de l'idée implicite, et parfois explicite, de ce que devait être ou serait cet avenir que s'opérait, dans l'indétermination foisonnante de tous les passés dépassés, la récollection de ce que la collectivité avait besoin de sauver d'elle-même pour affronter ce qui l'attendait, et qu'elle devait préparer. »
>
> Pierre Nora, *Les Lieux de mémoire,* tome III, 1992.

En 1791, par décret de l'Assemblée nationale, une église parisienne tout juste achevée est devenue nécropole des grands hommes de la nation, afin « que le temple de la religion devienne le temple de la patrie, que la tombe d'un grand homme devienne l'autel de la liberté ». L'édifice a pris le nom de « panthéon français ». Depuis, l'édifice s'est garni de reliques propres à entretenir le culte national. Le premier entré, Mirabeau, a été retiré en 1794, au moment où l'on apportait la dépouille de Marat, banni à son tour peu après : les événements de la Terreur expliquent ces expulsions d'ossements. Mais, depuis deux siècles, les grands hommes de la patrie reposent en paix, et leur quiétude n'est troublée que par de nouvelles arrivées, au gré des évolutions idéologiques de la nation. Le benjamin des panthéonisés est Alexandre Dumas, promu pour les remarquables services qu'il a rendus à l'identité nationale. Comme l'a souligné le discours du président de la République Jacques Chirac, Dumas y a contribué non seulement par ses romans, mais aussi par sa personne physique : « La République, aujourd'hui, ne se contente pas de rendre les honneurs au génie d'Alexandre Dumas. Elle répare une injustice. Cette injustice qui a marqué Dumas dès l'enfance, comme elle marquait déjà au fer la peau de ses ancêtres esclaves. [...] Fils de mulâtre, sang-mêlé de bleu et de noir, Alexandre Dumas doit alors affronter les regards d'une société française qui, pour ne plus être une société d'Ancien Régime, demeure encore une société de castes. » (Discours du 30 novembre 2002.)

Clairement, la panthéonisation de Dumas s'est inscrite dans les enjeux contemporains de l'intégration dans la nation des descendants d'esclaves et de colonisés. Quelques années plus tôt, la panthéonisation de Marie Curie – et de son époux – faisait entrer pour la première fois une « grande femme » dans l'édifice et ratifiait la nécessité d'une avancée, même modeste, vers la parité du passé national. La liste des noms proposés aujourd'hui pour le mausolée de la montagne Sainte-Geneviève (Camus, Dreyfus, Aimé Césaire, par exemple) et les argumentaires avancés montrent bien que les combats idéologiques présents sont transposés sur la gestion du passé. Anachronisme malencontreux ? Non, en ce sens que l'histoire nationale a bel et bien été conçue comme un passé vivant, propre à être constamment revisité et réinvesti par le présent.

La nation, permanence à travers les siècles

La nation moderne est un corps politique qui ne se définit pas par rapport à une volonté divine. Cette sécularisation est source de fragilité et d'instabilité. Il a donc fallu trouver une solide armature pour légitimer la souveraineté à l'ère nationale. Elle ne descend plus des cieux : elle est ancrée dans les profondeurs du temps. Ce n'est pas l'Éternel qui fait la nation : la nation est éternelle – en tout cas fort antique et inchangée au fil des siècles. La métaphore de la famille unie par la transmission à travers les âges d'un patrimoine matériel et symbolique est donc fréquente. Recueillir l'héritage, le faire fructifier, le transmettre, c'est bien là, selon Renan, le devoir national :

> La nation, comme l'individu, est l'aboutissant d'un long passé d'efforts, de sacrifices et de dévouements. Le culte des ancêtres est de tous le plus légitime ; les ancêtres nous ont fait ce que nous sommes. Un passé héroïque, des grands hommes, de la gloire (j'entends de la véritable), voilà le capital social sur lequel on assied une idée nationale. Avoir des gloires communes dans le passé, une volonté commune dans le présent ; avoir fait de grandes choses ensemble, vouloir en faire encore, voilà les conditions essentielles pour être un peuple[1].

La nation, collectif politique et social à l'ère de l'individu, est en quelque sorte un individu collectif, dans les siècles des siècles. « Le premier, je vis la France comme une personne », écrivait l'historien Jules Michelet, résumant ainsi le projet qui anime son œuvre, fondatrice de nos conceptions du passé national.

En fait, les révolutionnaires, en un premier temps, avaient voulu faire table rase du passé. Le calendrier révolutionnaire, qui commençait avec la République

1. Ernest Renan, « Qu'est-ce qu'une nation ? », *op. cit.*

(22 septembre 1792), traduisait le désir de partir de zéro pour une nouvelle ère. Ce calendrier révolutionnaire n'a été en usage que treize ans. La nation n'est pas sortie de l'ère chrétienne, mais elle a été pourvue d'une histoire spécifique aux origines antérieures à l'ère chrétienne.

Nos ancêtres les Gaulois

À la base de toute histoire nationale, il y a des ancêtres fondateurs. La monarchie française s'était trouvé diverses origines, de préférence chrétiennes. Éventuellement des ancêtres païens, mais alors de prestige, comme les Troyens de l'*Iliade* et l'*Énéide*. La France révolutionnaire, elle, a choisi les Gaulois, pour trois raisons. D'abord, parce qu'ils étaient alors la population la plus ancienne connue sur le territoire, grâce aux auteurs grecs et latins (la notion de préhistoire n'est apparue qu'au XIXe siècle et c'est aux Gaulois qu'on a attribué longtemps les mégalithes – voilà pourquoi Obélix est livreur de menhirs). D'autre part, dans toute l'Europe du XIXe siècle commençant, les Celtes étaient un *must* en matière d'ancêtres. Et puis les Gaulois, sous l'Ancien Régime, avaient été parfois désignés comme ancêtres du tiers état alors que les aristocrates se présentaient comme descendants des conquérants franks. Le célèbre pamphlet de l'abbé Sieyès, *Qu'est-ce que le tiers état ?*, publié en janvier 1789, incitait avec humour la vraie nation gauloise à expulser son aristocratie étrangère :

> Pourquoi [le tiers état] ne renverrait-il pas dans les forêts de Germanie toutes ces familles qui conservent la folle prétention d'être issues de la race des conquérants, et d'avoir succédé à leur droit de conquête ? La nation épurée se consolera, je pense, d'être réduite à ne plus se croire composée que des descendants des Gaulois et des Romains, et se persuadera qu'elle vaut au moins autant que celle qui viendrait des Sicambres, des Welches et autres sauvages sortis des bois et des marais de Germanie.

L'émigration nobiliaire outre-Rhin, après la proclamation de la nation, a d'ailleurs alimenté quelque temps la vision de la révolution comme l'aboutissement d'un conflit ethnique. Mais l'hypothèse de la double population a été abandonnée dans la première moitié du XIXe siècle. Dans une perspective de conciliation nationale, les Gaulois sont devenus ancêtres de tous les Français. Le coq (en latin *gallus*) a été officialisé comme emblème national. Les Gaulois ont été adaptés aux différentes conjonctures et orientations politiques de la France moderne. Ils ont connu leurs décennies de gloire sous la IIIe République : héros de la défense du territoire contre les troupes de César réincarné en Kaiser, Gallo-Romains pratiquant l'urbanisme et la construction d'aqueducs, farouches combattants de la liberté et de la démocratie virant parfois à l'anarchie, gaillards amateurs de banquets et de la gent féminine.

Dans les années 1960, les Gaulois, progressivement évacués des manuels d'histoire, faisaient figure d'ancêtres aussi démodés que les grands-pères moustachus des photos de famille couleur sépia. La culture de masse pour la jeunesse a été leur fontaine de Jouvence. Coup de génie des concepteurs de la bande dessinée *Astérix* : ils ont joué systématiquement avec l'anachronisme de l'histoire nationale qui attribue à « nos ancêtres » les traits des populations contemporaines. Les Gaulois ont repris du service et ont suivi les évolutions de la France post-gaullienne. En 1985, François Mitterrand, entouré de nombreux ministres, s'est rendu officiellement au nouveau « site national » du mont Beuvray et a dévoilé la plaque commémorative de l'ancienne Bibracte gauloise : « Ici s'est faite l'union des chefs gaulois autour de Vercingétorix. » Leçon à méditer pour tous les leaders politiques de la Ve République... Mais les Gaulois n'appartiennent à aucun courant : le look Astérix a été emblème de la résistance à la mondialisation et aux OGM. Il s'est aussi avéré *bankable* pour de grosses productions cinématographiques et leurs retombées en matière de produits dérivés et jeux vidéo. Dans l'univers urbain contemporain, les codes communs de repérage des populations distinguent Blacks, Beurs et « Gaulois », désormais catégorie générique des individus de « type européen ».

Une histoire de résistance

Comme le chapitre inaugural, toutes les pages du récit national peuvent être interprétées en fonction des enjeux présents. Les récits d'histoire nationale des diverses nations possèdent d'ailleurs beaucoup de similitudes : leurs moments forts racontent les combats pour la liberté et contre l'oppression, les sacrifices individuels pour le salut commun, l'union de tous les membres de la nation par-delà leurs divisions. Le fil conducteur de ces récits souligne donc l'unité de la nation, communauté transsociale qui, au long des siècles, résiste contre les forces d'asservissement et de dissociation. Les héros de ces récits ne sont pas seulement des rois ou des guerriers, mais aussi des bourgeois, des savants, des explorateurs, des paysans – et même quelques femmes et enfants. Le récit d'histoire nationale français, élaboré au XIXe siècle, a été diffusé massivement par les manuels scolaires de la IIIe République, à commencer par la fameuse série du « petit Lavisse ». Ses épisodes et ses héros étaient aussi connus que ceux de l'histoire sainte enseignée par le clergé : Charles Martel et Bernard Palissy, la poule au pot et la pomme de terre, le vase de Soissons et la pucelle d'Orléans, etc. De nombreuses œuvres culturelles – romans, peintures, gravures, pièces de théâtre, films – ont popularisé le récit communautaire. L'histoire nationale est aussi devenue décor de la vie quotidienne, surtout dans l'espace urbain : les noms de rues et de places, les statues et les monuments ont multiplié les inscriptions du passé dans le présent.

Permanence du changement

On comprend bien la fonction de cette interpénétration constante des temps. L'identité nationale est le système de représentations destiné à assurer – et réassurer constamment – la cohésion nationale, le sentiment d'appartenance des individus à la communauté. Or l'ère nationale est celle de la modernité, qui rompt avec un idéal de la reproduction et met en avant la volonté de transformer le monde sous les auspices du progrès. La force d'une telle rupture est lourde de risques de dislocation pour les sociétés humaines. L'identité nationale est donc en charge de tisser la trame entre les deux pôles antagonistes de l'immuabilité et de la transformation, de la fidélité à la tradition et de l'innovation. Pour étayer ce nouveau monde où tout change, l'histoire nationale doit donc établir que la nation, elle, ne change pas.

L'écriture d'une histoire nationale investie d'une fonction politique et sociale se forme à la même époque que l'écriture d'une histoire savante se voulant objective. Elles ont été souvent établies par les mêmes individus. Cela implique quelques tensions, comme l'expose clairement Renan dans son discours sur la nation :

> L'oubli, et je dirai même l'erreur historique, sont un facteur essentiel de la création d'une nation, et c'est ainsi que le progrès des études historiques est souvent pour la nationalité un danger. [...] L'unité se fait toujours brutalement ; la réunion de la France du Nord et de la France du Midi a été le résultat d'une extermination et d'une terreur continuée pendant plus d'un siècle. [...] Or l'essence d'une nation est que tous les individus aient beaucoup de choses en commun, et aussi que tous aient oublié bien des choses.

L'histoire nationale est donc faite d'oublis et de beaucoup d'anachronismes. Elle joue une fonction essentielle pour la communauté présente, sous forme de projection rétrospective. Déclinable en variantes, sans cesse retravaillée pour de nouveaux développements, elle doit permettre de concevoir l'avenir en le reflétant dans le passé. La diversité des options politiques et idéologiques se traduit donc par des présentations diverses de l'histoire nationale – dans le choix des événements de référence ou dans leur interprétation. Monarchistes, libéraux, communistes, socialistes ont produit leurs versions respectives de l'histoire nationale, avec des listes variables de héros, de grands moments et de hauts lieux. On peut reconstituer l'histoire politique d'une municipalité à partir des noms de rues évoquant des événements ou des personnages historiques. Dans les dernières décennies, la plupart des hommes politiques français ont publié des biographies de personnages de l'histoire nationale dont ils faisaient leur image tutélaire : par exemple *Henri IV, le roi libre* (1994) pour François Bayrou, *Georges Mandel, le moine de la politique* (1994) pour Nicolas Sarkozy, *Montesquieu, le moderne* (1999) pour Alain Juppé.

L'histoire nationale se présente comme un répertoire de ressources en matière de réflexion et d'action, un recueil de leçons civiques. Elle est d'ailleurs une des matières fondamentales de l'enseignement public. C'est aujourd'hui conviction largement partagée que le passé national est explication des problèmes actuels et référence pour les décisions politiques et sociales à opérer.

TITRES DE PROPRIÉTÉ ET PAPIERS D'IDENTITÉ

Deux fonctions majeures sont attribuées aux histoires nationales. La première est d'associer une nation et le territoire de ses ancêtres fondateurs, patrimoine légitime et sacré de la nation. Cela tient au principe que les révolutionnaires français avaient rapidement proclamé pour le monde des nations modernes : le renoncement au « droit de conquête » que les monarchies avaient abondamment pratiqué. Agrandir son territoire au détriment des pays voisins était source de gloire pour les monarchies ; pour les nations, c'est de la délinquance en bande organisée. Les nations modernes ont seulement le droit et le devoir de défendre le territoire de leurs ancêtres contre les intrusions ennemies, et de le récupérer quand il leur a été indûment volé. L'histoire nationale a donc une fonction notariale : établir la propriété d'un territoire. Elle a été abondamment mise en avant dans les revendications territoriales entre nations modernes et a fourni, depuis deux siècles, l'argument principal des revendications d'irrédentisme, d'annexion ou d'autonomie. « Il y a deux mille ans, ce territoire appartenait à nos ancêtres ; vos ancêtres l'ont volé il y six cents ans, le reprendre est notre devoir le plus sacré » : ce type de rhétorique a été maintes fois utilisé en Europe, des Balkans à l'Alsace, des Sudètes à la Carélie – avec des références à des dates variables, bien sûr. Les conquêtes coloniales semblent avoir dérogé à ce grand principe. Mais il fut contourné assez simplement : les populations conquises furent déclarées beaucoup trop primitives pour former des nations véritables. Par conséquent, le droit de propriété sur leur sol leur était dénié. Du coup, une histoire nationale spécifique, avec ses ancêtres fondateurs, leur fut refusée.

L'histoire nationale, actuellement, ne sert pas seulement à établir des droits de propriété : elle doit aussi légitimer l'établissement des papiers d'identité. Elle est régulièrement sollicitée pour définir quel groupe de population est partie intégrante, ou non, de la nation. L'histoire nationale fait donc fonction de livret de famille. Selon le principe national, une catégorie de la population, pour s'intégrer pleinement dans la nation présente, doit être intégrée dans son passé. Mobilisée dans les processus d'exclusion, l'histoire nationale l'est aussi dans les revendications d'inclusion. Les révisions de l'histoire, aujourd'hui, portent sur la reconnaissance des exclus (femmes, immigrés) et la réparation de torts commis par les ancêtres. Contre les processus de discrimination ou d'exclusion de la nation française affectant ceux que l'on désigne aujourd'hui par l'euphémisme « minorité visible », il s'agit de rendre visibles dans le passé national ceux qui furent esclaves ou « sujets » de l'empire colonial. Le film *Indigènes*[1] a rappelé, dans une fiction centrée sur quelques personnages pourvus d'une histoire personnelle et d'une psychologie, la participation des troupes coloniales au combat de libération nationale. La réalisation du film a eu une conséquence remarquable : lors de sa sortie, le gouvernement français a annoncé la revalorisation des pensions d'anciens combattants « indigènes » pour la porter au même niveau que celles des anciens combattants français. La sensibilité contemporaine, qui privilégie la compassion et l'héroïsation des victimes, permet d'ailleurs l'intégration rétrospective dans la nation non seulement par la bravoure sacrificielle mais aussi par les souffrances subies.

Histoire nationale et mémoires

Le terme de mémoire est actuellement beaucoup utilisé en France dans ce cadre : la mémoire serait en

1. *Indigènes,* film algérien de Rachid Bouchareb, 2006.

quelque sorte une histoire vive – à vif –, portée par des catégories de population discriminées. Cet usage croise dans ses connotations la notion de « lieux de mémoire »[1], comme incarnation symbolique et sensible du rapport au passé et le « devoir de mémoire », lié à la prise en charge publique de la commémoration et à la notion de crime commis envers une communauté. Le rapport entre la mémoire – les mémoires – et l'histoire nationale a été ces dernières années au cœur de polémiques politiques et même de débats parlementaires et judiciaires. Quand le futur est en panne, les conflits pour la détermination du passé se radicalisent. Il y a eu des tentatives de définition légale de l'histoire et des demandes de révision, au sens juridique, du passé national au tribunal. La question des « lois mémorielles », pour reprendre le terme actuellement en usage, en est l'expression. Quatre lois ont été regroupées sous cette appellation :

– la loi Gayssot du 13 juillet 1990 constitue en délit la négation des crimes contre l'humanité, au sens défini par le procès de Nuremberg après la Seconde Guerre mondiale ;

1. La notion de « lieux de mémoire » a été popularisée à la suite du succès des publications dirigées par l'historien Pierre Nora, *Les Lieux de mémoire*, Paris, Gallimard, en 7 volumes entre 1984 et 1992. Le terme « lieu de mémoire » est entré dans le *Grand Robert de la langue française* en 1993.

– une loi du 29 janvier 2001 indique : « La France reconnaît publiquement le génocide arménien de 1915 » ;

– la loi Taubira du 21 mai 2001 déclare que la République française reconnaît la traite négrière comme un crime contre l'humanité. Elle prévoit que « les programmes scolaires et les programmes de recherche en histoire et en sciences humaines accorderont à la traite négrière et à l'esclavage la place conséquente qu'ils méritent » ;

– la loi sur la présence française outre-mer du 23 février 2005 énonce, dans un de ses articles, que « les programmes scolaires reconnaissent en particulier le rôle positif de la présence française outremer, notamment en Afrique du Nord, et accordent à l'histoire et aux sacrifices des combattants de l'armée française issus de ces territoires la place éminente à laquelle ils ont droit ».

Ces deux dernières lois surtout, clairement antagonistes dans leurs enjeux idéologiques et liées à la définition de l'identité nationale en contexte postcolonial, ont suscité de nombreuses réactions. L'une et l'autre évoquaient explicitement la recherche et l'enseignement historiques. Les historiens devenaient convocables au tribunal comme accusés. La promulgation des lois mémorielles a ouvert une série de questions litigieuses en régime démocratique : notion d'histoire officielle prescriptive, détermination juridique de la vérité scientifique et censure intellectuelle.

Cela montre bien la nécessité de comprendre le rôle dévolu à l'histoire nationale. Comme l'avait clairement indiqué Renan il y a plus d'un siècle, l'histoire nationale ne relève pas du régime de vérité de l'histoire savante ou de la justice. Elle projette sur le passé des conceptions, des mentalités, des problèmes qui appartiennent au présent. L'histoire savante, elle, a une autre fonction de médiation entre passé et présent : elle cherche à restituer les univers mentaux de l'époque étudiée et à les rendre intelligibles aux hommes d'aujourd'hui. En 2008, une commission parlementaire a été chargée d'un rapport sur la question des lois mémorielles ; en conclusion, l'Assemblée nationale a pris la décision de ne plus légiférer en matière d'histoire, même si les lois déjà promulguées ont été maintenues.

En ce début de XXIe siècle, l'histoire nationale est un champ de batailles politiques intenses, en compensation du déficit de projets pour le futur. Lors de la campagne présidentielle de 2007, les discours des deux principaux candidats ont largement puisé dans l'histoire de France. La première mesure officielle annoncée par Nicolas Sarkozy, le jour de son investiture, concernait la nouvelle commémoration de Guy Môquet, dont la dernière lettre devait être lue dans les lycées à la rentrée. L'inscription de la Résistance communiste au patrimoine national par un président de droite proclamait le décès de l'internationalisme marxiste – pour préfigurer celui de la gauche en général ? Cette « ouverture dans le passé » a précédé la formation d'un « gouvernement d'ouverture ».

Les temps nouveaux

Si l'histoire a pris une telle importance dans la modernité, c'est que l'ère des nations correspond à un nouveau rapport au temps. Dès le XVIIIe siècle les instruments de mesure du temps se multiplient. Le temps précis et universel, celui du physicien, se substitue au temps référé à la course du soleil. Les temporalités cycliques (agricoles, liturgiques) cèdent devant le temps linéaire. Le temps est rationalisé : les événements sont de moins en moins rapportés à une intervention divine. L'idée d'un futur dans l'ici-bas terrestre, et non plus seulement dans l'au-delà, se dessine. Les êtres humains peuvent envisager d'agir sur ce futur, à condition de connaître les principes de causalité régissant les êtres et le monde, ce qui donne un formidable élan à la recherche de nouveaux savoirs. Les idées de progrès et de bonheur en sont les conséquences. Elles dominent pour deux siècles la pensée et le politique, du réformisme à l'action révolutionnaire.

Le nouveau rapport au temps transforme la vie individuelle et sociale : temps des montres, des horloges, des sirènes d'usine, des horaires de chemins de fer, de plus en plus précis et contraignant. *Time is money*. L'accélération de la production et des échanges devient condition première de l'enrichissement. Le système du télégraphe, mis en place sous la Révolution par Chappe, marque la rupture avec les temps où la transmission ne pouvait excéder la vitesse du cavalier au galop. L'ère de l'actualité et de l'information commence. Mais cet énorme investissement de chacun et de tous dans le futur s'accompagne, dès le début, d'un non moins intense intérêt pour le passé. La religion du progrès, pendant deux siècles, a été liée au culte des traditions. En raison du rôle accordé au passé comme fondement, soutien et éclaircissement du futur : mais aussi parce que l'ancien a pris une valeur patrimoniale. Le même mouvement de sécularisation culturelle qui valorise l'innovation et la création donne au passé une valeur affective et esthétique.

IV

LES VANDALES ET LE PATRIMOINE NATIONAL

« À Paris, le vandalisme fleurit et prospère sous nos yeux. Le vandalisme est architecte. [...] Le vandalisme a pour lui les bourgeois. [...] Quelquefois il se fait propriétaire, et il change la tour magnifique de Saint-Jacques-de-la-Boucherie en fabrique de plomb de chasse. »

Victor Hugo, *Guerre aux démolisseurs,* 1832.

Chaque année, lors du troisième week-end de septembre, les Français peuvent parcourir des monuments historiques qui ne sont pas ouverts à la visite en temps normal. Cette tradition créée en 1984 a connu rapidement un énorme succès. Les Journées du patrimoine concernent actuellement 15 000 sites et le nombre de visites est évalué à 12 millions. Depuis 1991, le Conseil de l'Europe et l'Union européenne soutiennent les événements de ce type dans les pays de leur ressort.

Comme les autres Européens, les Français contemporains ont la passion des monuments historiques. Mais avant l'ère nationale, il n'y avait pas de monuments historiques. Ce qui existait alors, c'étaient de vieux bâtiments que leurs propriétaires pouvaient utiliser, transformer ou détruire à leur guise. S'ils avaient quelque fortune, ils les amélioraient et les embellissaient au goût du jour : l'héritier d'une forteresse médiévale essayait de la rendre habitable en élargissant portes et fenêtres et en créant des terrasses. Les paroissiens fortunés gratifiaient les églises gothiques de chœurs baroques et de façades néoclassiques. Mais le souci de commodité et de rentabilité financière pouvait tout aussi bien transformer un château médiéval ou un cloître en carrière de pierres, une abbaye en prison ou en entrepôt.

La propriété du peuple

Le terme « monument historique » est apparu pour la première fois en 1790, dans un rapport à l'Assemblée constituante établi par Aubin-Louis Millin, à l'occasion de la démolition de la Bastille. Dans les tout premiers temps de la Révolution, beaucoup de châteaux et bâtiments ecclésiastiques, symboles de l'Ancien Régime, sont saccagés. Mais des républicains tentent de freiner l'élan destructeur au nom d'une idée nouvelle : celle de patrimoine national. La proclamation de la nation change la conception de la propriété et introduit la notion de bien public. Dans cette perspective, des bâtiments à haute valeur historique ou esthétique ne doivent plus être considérés seulement comme le bien d'un propriétaire privé : ils appartiennent à la nation tout entière. Les individus détruisant cet héritage ne peuvent donc pas être considérés comme des membres de la nation : ce sont des barbares étrangers, des pillards, des vandales. L'abbé Grégoire s'est attribué la paternité du terme « vandalisme », inspiré d'une horde germanique qui avait mis Rome à sac au Ve siècle. En 1794, il prononce devant la Convention nationale son « Rapport sur les destructions opérées par le vandalisme et sur les moyens de le réprimer » et il plaide pour la conservation de la « propriété du peuple ».

La période révolutionnaire est aussi le début en France de la création de musées. Les collections artistiques et scientifiques avaient été jusque-là affaire privée, d'accès limité à une minorité de privilégiés. Les musées doivent réaliser les projets des Lumières : l'accès public aux trésors artistiques et au savoir, la conservation et le classement systématique des objets de connaissance. Le Louvre est ouvert au public en 1793, de même que le Muséum d'histoire naturelle, suivi par le Conservatoire des arts et métiers en 1794. Les armées républicaines puis impériales poursuivent hors de France les anciennes pratiques de butin et rapportent des trésors artistiques pillés en Italie, Allemagne ou Russie, Égypte : cela contribue grandement à développer le sentiment national dans les pays dépouillés !

L'idée de patrimoine national est, après la Révolution, déjà bien ancrée dans les milieux intellectuels et artistiques, mais pas dans l'ensemble de la population qui trouve parfaitement normal d'utiliser des chapelles romanes en écuries et des vieux châteaux en dépôts de marchandises. Le jeune Hugo publie en 1832 un virulent pamphlet contre les « démolisseurs » et réclame « une loi pour les monuments, une loi pour l'art, une loi pour la nationalité de la France, une loi pour les souvenirs, une loi pour les cathédrales, une loi pour les plus grands produits de l'intelligence humaine, une loi pour l'œuvre collective de nos pères, une loi pour l'histoire, une loi pour l'irréparable qu'on détruit, une loi pour ce qu'une nation a de plus sacré après l'avenir, une loi pour le passé ».

En 1830, le ministre de l'Intérieur François Guizot crée le poste d'inspecteur des monuments historiques, qui échoit en 1834 à Prosper Mérimée. Le nouvel inspecteur se lance hardiment sur les routes de France pour répertorier, décrire et dessiner les monuments remarquables. Émerveillements et colères alternent dans les notes de l'inspecteur : les provinces regorgent de trésors artistiques auxquels les populations locales sont totalement indifférentes. Mérimée tempête contre les curés qui badigeonnent allègrement les fresques médiévales et contre les notables plein d'ardeur modernisatrice qui démolissent les vieux quartiers. La France est couverte de bâtiments anciens en péril. Comment choisir ceux qui ont une valeur patrimoniale et doivent absolument être protégés ? En 1837, Guizot crée la Commission des monuments historiques en charge de dresser l'inventaire des monuments à sauvegarder. La première liste, en 1840, en note déjà plus de 1 000. On y trouve le pont du Gard, les alignements de Carnac, le palais des Papes, les châteaux de Chambord et de Blois, beaucoup d'églises ou d'abbayes médiévales. Ce n'est pas que Mérimée soit particulièrement dévot, bien au contraire ! Mais le patrimoine médiéval paraît le plus menacé : le romantisme vient tout juste de réintroduire le goût pour un art et une architecture qui depuis l'âge classique étaient jugés grossiers et barbares.

Un siècle et demi plus tard, le nombre de monuments historiques officiellement recensés a été multiplié par quarante (plus de 14 000 « classés » et près de 29 000 « inscrits »). Cette spectaculaire croissance caractérise le paradoxe de la modernité. L'ère nationale, c'est le passage du monde rural au monde industriel. Les villes enflent, on détruit et bâtit pour loger des millions de nouveaux habitants. Les centres anciens sont percés de larges avenues ; le pays se couvre d'usines, de routes, de viaducs, de voies de chemin de fer. Ces mutations radicales, à un rythme intense, sont faites au nom du progrès. Mais l'intérêt – la passion – pour l'ancien croît dans le même mouvement. Aujourd'hui, les Français, comme les autres Européens, sont convaincus de la beauté des vieilles pierres. La visite des châteaux fait partie des activités touristiques ordinaires, nous ne pouvons imaginer une ville digne de ce nom sans vieux quartiers restaurés, propices à la déambulation. Ce goût pour l'ancien, qui ne se manifeste pas sur tous les continents, n'avait rien de spontané. Il est le fruit d'un intense travail d'éducation esthétique et historique mené depuis le XIXe siècle. L'enseignement, bien sûr, a joué un rôle dans cette pédagogie patrimoniale. Mais elle a trouvé son essor initial et son plus grand soutien dans les œuvres artistiques et littéraires. En 1831, Victor Hugo publie un roman dont l'héroïne est une cathédrale. À ses lecteurs, il apprend à regarder

Notre-Dame, à apprécier une architecture gothique alors peu prisée, il fournit le vocabulaire propre à la description du monument. La cathédrale est alors dans un tel état de délabrement qu'il a été question de la raser. Grâce au roman, à la belle Esméralda, à Quasimodo, le Paris médiéval devient le théâtre d'une intrigue qui touche un vaste public. À la fin du roman, Hugo s'exclame : « Apprenons s'il est possible à la nation l'amour des monuments nationaux ! » Les monuments historiques prestigieux sont devenus des emblèmes identitaires, reproduits sur les timbres ou les billets de banque, vendus aux touristes sous forme de miniatures souvenirs. Le patrimoine, propriété collective des citoyens, est une ressource économique et un élément de prestige national.

En 1972, l'Unesco a créé une convention pour la protection du patrimoine mondial. La France y a obtenu l'inscription de nombreux monuments et sites (parmi les plus récents figurent le Vieux Lyon, quartier Renaissance qui avait été à plusieurs reprises menacé de démolition, et le centre-ville du Havre, reconstruit après la Seconde Guerre mondiale par Auguste Perret). La modernité elle-même a fini par entrer dans le passé patrimonial : la tour Eiffel, symbole par excellence du progrès technologique en 1889, a été classée monument historique en 1964. Quelques années plus tard, la destruction des pavillons Baltard, qui avaient abrité les Halles de Paris, a donné lieu, à peine achevée, à des réactions indignées. Les monuments historiques sont aujourd'hui une espèce en voie d'expansion et incluent des usines désaffectées. La frénésie contemporaine pour le passé pousse à des exigences systématiques de conservation : tout ce qui est ancien paraît « classable », au risque de muséifier les villes. Malaise de la modernité obsédée par l'angoisse de la perte quand les gains de l'avenir deviennent incertains.

Les paysages nationaux

La notion de propriété collective de la nation a eu pour conséquence la création d'un autre type de monuments, non pas historiques, mais naturels. Les bouleversements du territoire par la modernité industrielle ont fait naître un goût nouveau pour la nature. Écrivains et artistes sont pour beaucoup dans l'éveil de cette nouvelle sensibilité. À partir des années 1830, la forêt de Fontainebleau devient un haut lieu de la peinture en plein air (Corot, Millet, etc.). L'arrivée du chemin de fer en 1849 permet aux Parisiens des excursions dans la forêt. Mais l'exploitation de carrières de grès pour la construction parisienne fait obstacle à l'usage esthétique et touristique de la forêt. En 1861, la première *réserve artistique* y est créée. C'est le premier espace naturel protégé au monde, avant la création en 1872 du Parc national de Yellowstone aux États-Unis. Les romanciers, par leurs descriptions de paysages, les poètes, les peintres puis les photographes diffusent une nouvelle approche de la nature. Elle n'est plus évaluée seulement en fonction de la rentabilité des sols ou de sa commodité pour la production industrielle : elle est aussi traitée dans une perspective d'esthétique. La première loi générale sur la protection des sites et monuments naturels est prise en avril 1906. Mais la lutte entre les promoteurs des sites patrimoniaux et les intérêts économiques est rude. Grand consommateur d'espaces naturels, le tourisme en est aussi grand destructeur. En 1960 seulement, les premiers parcs nationaux sont créés en France. Actuellement, la présentation officielle de ces espaces naturels insiste avec quelque grandiloquence sur leur similarité avec le Panthéon des grands hommes :

> Les parcs nationaux de France sont ces espaces d'exception qu'on a, depuis maintenant un demi-siècle, décidé de faire entrer au Panthéon de la nature. Comme Voltaire, Hugo, Zola, Jaurès ou Moulin ils sont devenus, l'un après l'autre, les membres du corps le plus illustre du génie national. La Vanoise, le Mercantour, les Écrins, les Pyrénées, Port-Cros, les Cévennes, la Guadeloupe, La Réunion

> et la forêt amazonienne en Guyane, sont désormais côte à côte pour faire rayonner dans le monde la diversité et la richesse de notre territoire national. De génération en génération, ces symboles spirituels ou naturels garantissent la solidarité et la fierté des Français envers leur pays et tracent les contours de la France éternelle[1].

La nation n'est pas qu'une question politique : c'est aussi une affaire d'esthétique. Les membres d'une nation moderne s'accordent à un certain point sur la conception du Beau, qui consacre un patrimoine collectif évolutif.

En 2003, les États membres de l'Unesco ont adopté la convention pour la sauvegarde du patrimoine culturel immatériel. Cette nouvelle notion s'applique non pas à des monuments ou des sites mais à « des traditions à valeur identitaire, recréées en permanence par les communautés ». L'inscription de la gastronomie française à la liste du patrimoine mondial immatériel a été envisagée récemment.

1. « Les parcs nationaux à la française, la nature en partage » ; http://www.parcsnationaux.fr/Qu-est-ce-qu-un-Parc-national. Consultation : juin 2010.

V

L'ÉDUCATION AU NATIONAL

« À la base de l'ordre social moderne se trouve non le bourreau mais le professeur. Ce n'est pas la guillotine mais le bien nommé doctorat d'État qui est l'instrument principal et le symbole essentiel du pouvoir d'État. Le monopole de l'éducation légitime est maintenant plus important et plus décisif que le monopole de la violence légitime. »

Ernst Gellner, *Nations et Nationalisme,* 1989.

L'âge des nations, c'est l'ère des enseignants. Antérieurement, il n'existait pas de système d'enseignement, mais un ensemble disparate de formations : l'institution ecclésiastique dispensait aux fidèles une éducation religieuse, éventuellement des savoirs élémentaires. Une élite restreinte bénéficiait de précepteurs ou d'un enseignement prolongé dans des établissements spécialisés. Mais l'instruction ne faisait pas partie des prérogatives ni des charges de l'État. L'alphabétisation du peuple a d'ailleurs longtemps paru dangereuse pour l'ordre social et ferment de sédition. Là encore, la proclamation de la nation a changé radicalement la perspective : l'instruction est devenue une question publique, liée à la citoyenneté.

Un socle commun de connaissances

Les contenus et les méthodes d'enseignement, à l'époque des Lumières, ont suscité de nombreuses réflexions, à commencer par l'étude de Rousseau, *Émile ou De l'éducation* (1762). Johann Heinrich Pestalozzi, protestant originaire de Zurich, traducteur de Rousseau en allemand et fondateur de plusieurs établissements d'éducation pour la jeunesse pauvre, a expérimenté une pédagogie qui a durablement influencé les praticiens de l'enseignement public en Europe. Ses principes insistent sur la nécessité de présenter le concret avant l'abstrait, le proche avant le lointain, de proposer des exercices simples avant de les compliquer. Pestalozzi est un des étrangers nommés « citoyens d'honneur » de la France en août 1792. Au mois d'avril précédent, le mathématicien et philosophe Condorcet a présenté à l'Assemblée nationale un « rapport sur l'Instruction publique ».

Pour le fonctionnement politique de la nation, il devenait nécessaire que les citoyens possèdent des connaissances et des références communes permettant l'exercice de leurs droits et devoirs. Le développement de l'instruction est aussi en lien avec les nouvelles formes de production économique. Comme l'a souligné l'anthropologue britannique Ernst Gellner dans son étude sur la formation des nations, un nouveau type d'éducation est désormais requis. Antérieurement, la transmission des savoirs, pour la majeure partie de la population, était assurée par la famille ou par apprentissage auprès d'artisans. Les nouvelles formes d'échanges et de production industrielle évoluent vers la standardisation. La communication doit désormais être la plus univoque possible et passer par un support linguistique unifié. La mobilité, géographique et sociale, devient nécessaire au développement de la production. La division du travail est de plus en plus complexe. Elle a une double conséquence : la détermination d'un socle de connaissances communes à tous les individus et la constitution d'un corps de spécialistes de l'éducation. Ce corps va durablement croître en volume et en importance, en rapport avec l'augmentation du nombre d'enfants concernés et l'élévation du niveau d'études. La qualité de l'enseignement dispensé et son homogénéité sur le territoire deviennent une question centrale des États modernes. Le sociologue Max Weber avait proposé comme définition de l'État le monopole de la violence légitime, exercé au travers d'institutions spécifiques (justice, police, armée). Le passage à la modernité, selon Gellner, ajoute aux attributs de l'État la détermination de l'instruction légitime, qui n'est plus l'apanage de l'Église. Les gouvernements des États modernes comptent des ministères de l'Éducation, fonction qui n'avait aucun sens auparavant. L'implication des États dans l'enseignement s'effectue désormais sous plusieurs formes : création d'établissements d'enseignement public, formation des enseignants, détermination des programmes, certification des diplômes, le tout par contrôle direct ou contractuel.

Naissance du mammouth

Le système d'instruction publique proposé par Condorcet devait être gratuit et laïque. Ce programme n'a été réalisé qu'un siècle plus tard, par les lois Jules Ferry. De l'œuvre de la Révolution en matière d'éducation restent surtout des établissements qui fonctionnent aujourd'hui comme grandes écoles : École polytechnique, École centrale, Conservatoire national des arts et métiers, École normale supérieure. La période napoléonienne a créé les lycées et les académies. Le ministère de l'Instruction publique a été institué en 1828 seulement. Il a commencé à prendre de l'importance sous la monarchie de Juillet.

La première grande loi concernant l'enseignement de masse est la loi Guizot de 1833. Elle prescrit pour chaque département une école normale destinée à la formation des maîtres et, pour chaque commune de plus de 500 habitants, l'obligation d'entretenir une école primaire, confessionnelle ou non, et un instituteur. La contrainte porte uniquement sur l'enseignement masculin. Elle ne sera étendue à l'enseignement féminin qu'en 1867. Le nombre d'écoles croît sensiblement. Mais le travail des enfants est un obstacle majeur à la généralisation de la scolarisation. Les industries naissantes, notamment dans le textile, la mine même, sont dévoreuses de jeunes enfants, agiles et très peu payés. Le *Tableau de l'état physique et moral des ouvriers employés dans les manufactures de coton, de laine et de soie,* dressé par le Dr Villermé et publié en 1840, évoque ces cohortes de petits sacrifiés à la machine : « Il faut voir cette multitude d'enfants maigres et hâves, couverts de haillons, qui se rendent aux manufactures pieds nus par la pluie et par la boue, portant à la main, et quand il pleut sous leurs vêtements devenus imperméables par l'huile des métiers tombée sur eux, le morceau de pain qui doit les nourrir jusqu'à leur retour. »

Guizot fait passer une loi sur le travail des enfants. Il est interdit en dessous de huit ans et limité à huit heures par jour entre huit et douze ans, mais seulement pour les entreprises de plus de vingt ouvriers. La loi n'est pas appliquée dans les faits. En 1874 seulement, la limitation de l'âge d'admission à l'embauche est fixée à douze ans ; le travail de nuit est interdit et le repos du dimanche obligatoire pour les ouvriers âgés de moins de seize ans.

L'instruction devient au XIXe siècle un grand enjeu des débats politiques puisqu'elle est supposée former le nouvel esprit des masses. L'Église catholique s'inquiète de la perte du quasi-monopole qu'elle avait détenu auparavant. La loi Falloux (1850) permet une reprise de contrôle en autorisant à côté de l'enseignement public un enseignement privé, dit libre. Les évêques siègent de droit au conseil d'académie. Un simple rapport du maire ou du curé peut provoquer mutation ou révocation de l'instituteur. Néanmoins, l'alphabétisation croît continûment durant cette période, même chez ceux qui ont une scolarité restreinte. Il y a de plus en plus de textes imprimés bon marché, instructifs ou romanesques, qui alimentent le désir de lecture. La réticence durable de certains milieux envers l'instruction des masses est contrebalancée par une autre préoccupation : renforcer la cohésion nationale et accroître la puissance militaire et économique du pays.

Apprendre la France

Après la défaite face aux troupes allemandes et l'insurrection durement réprimée de la Commune, la IIIe République met enfin en place, par les lois Jules Ferry, un véritable système d'enseignement primaire. Tous les enfants, garçons et filles, sur tout le territoire, doivent être scolarisés de six à treize ans révolus. Des bâtiments scolaires sont édifiés partout, jusque dans les hameaux. L'enseignement est obligatoire (même si la scolarisation des enfants les plus pauvres reste sporadique) ; dans les écoles publiques, il est gratuit et laïque. Le contenu des programmes est sérieusement étoffé. La loi Guizot indiquait comme matières de l'enseignement : « L'instruction morale et religieuse, la lecture, l'écriture, les éléments de la langue française et du calcul, le système légal des poids et mesures ». Les lois Jules Ferry ajoutent à cette instruction élémentaire une éducation au national. Selon la loi du 28 mars 1882 :

> L'enseignement primaire comprend : L'instruction morale et civique ; La lecture et l'écriture ; La langue et les éléments de la littérature française ; La géographie, particulièrement celle de la France ; L'histoire, particulièrement celle de la France jusqu'à nos jours ; Quelques leçons usuelles de droit et d'économie politique ; Les éléments des sciences naturelles physiques et mathématiques, leurs applications à l'agriculture, à l'hygiène, aux arts industriels, travaux manuels et usage des outils des principaux métiers ; Les éléments du dessin, du modelage et de la musique ; La gymnastique ; Pour les garçons, les exercices militaires ; Pour les filles, les travaux à l'aiguille.

Désormais, les écoliers doivent acquérir, outre les savoirs de base permettant l'exercice des métiers anciens et nouveaux, la connaissance de la nation. Les leçons des maîtres et le nouveau matériel pédagogique (manuels, cartes murales, images) apportent aux enfants une perception sensible de la nation. Elle marque d'autant plus les esprits qu'elle coïncide avec une forme de socialisation spécifique : l'univers de la classe. Une nouvelle temporalité collective est créée : heures de cours et de récréation rythmées par la cloche de l'école, année scolaire, enfance passée devant un pupitre. Concernant cette temporalité éducative, la France présente une particularité qui la distingue des autres pays. Le compromis passé avec l'Église en 1882 compense l'absence d'enseignement religieux dans les écoles publiques par l'arrêt des cours durant une journée. Cette interruption doit permettre aux curés de dispenser le catéchisme aux jeunes ouailles. La semaine de cours allant du lundi matin au samedi soir, le jeudi est retenu comme le meilleur jour pour cette interruption. Des générations d'écoliers vont rêver de la « semaine des quatre jeudis ». Les jeudis catholiques deviennent des mercredis en 1972. À la rentrée de 1969, la diminution générale de la semaine de travail a entraîné la suppression des cours du samedi après-midi : pour rééquilibrer la semaine, la journée de coupure est avancée. La généralisation du week-end pour les parents finit par entraîner la suppression des cours du samedi matin et créer le remarquable déséquilibre d'une semaine scolaire répartie en deux séquences de deux journées.

L'école républicaine participe efficacement à la « nationalisation » des classes populaires à la Belle Époque (selon la formule de l'historien américain

Eugen Weber, *Peasants into Frenchmen,* les paysans prennent alors vraiment conscience de leur appartenance nationale). La nation devient le cadre et la finalité de tous les apprentissages, de l'histoire à la morale, de la botanique aux règles de politesse : c'est l'objectif explicite du plus célèbre manuel de la IIIe République, *Le Tour de la France par deux enfants*[1]. La multiplication des cartes, dans les livres scolaires et sur les murs des salles de classe, apprend aux écoliers un nouveau mode d'appréhension de l'espace. Elle offre à tous une vue panoramique qui fut longtemps l'apanage des puissants, des officiers et des marins. Comme l'évoque Mona Ozouf, dans ses souvenirs d'écolière :

> La France, c'était d'abord une carte, que ses œillets de cuivre tenaient suspendue au mur avec, en grosses lettres noires, le nom d'un certain Vidal-Lablache [...]. Autour de ces cartes, de grandes images invitaient elles aussi au voyage. Au cours élémentaire, c'étaient les châteaux de la Loire, et l'année se passait à faire bouger les plumets, les pourpoints et les chausses des Valois autour de Chambord, de Cheverny, et plus encore de Chenonceaux, miracle de château sur l'eau. Au cours moyen, première année, c'étaient les Alpes, l'aiguille du Midi, et le

1. G. Bruno, *Le Tour de la France par deux enfants,* Paris, Eugène Belin, 1877.

> Ventoux que mon livre de lecture appelle le « pasteur des collines »[1].

La carte permet l'appropriation par chacun du territoire national et de la place qu'il y occupe, offrant ainsi une représentation concrète du rapport qui s'établit désormais entre l'individu et le collectif. De cette communion nationale cartographique nous avons encore aujourd'hui la cérémonie quotidienne avec les prévisions météorologiques qui parsèment le territoire national de soleils et nuages. Dès 1903, le Tour de France cycliste devient l'épopée annuelle du territoire. Stylisée par la géométrie, la France devient Hexagone. Le patrimoine collectif s'exprime aussi sous forme numérique : dates de l'histoire de France, hauteurs des sommets et longueurs des cours d'eau. Des textes littéraires – dictées ou poésies – complètent ce stock de formules sacrées dont le rappel, sérieux ou comique, tisse une unité nationale transgénérationnelle. Le certificat d'études (auquel la moitié des candidats échouent) est le couronnement de la scolarité primaire.

---

1. Mona Ozouf, *Composition française*, Paris, Gallimard, 2009.

École du peuple, lycée bourgeois

La IIIe République a institué la scolarité de tous les enfants : mais elle n'a pas créé l'école pour tous. La séparation entre le primaire et le secondaire n'est pas alors une question d'âge des élèves mais de classe sociale. Le primaire est l'école du peuple. Pour les bons élèves que leur situation familiale n'oblige pas à entrer immédiatement dans le monde du travail, la scolarité peut être prolongée au-delà de la période obligatoire dans le « primaire supérieur ». La scolarité y reste gratuite et elle offre une série de niveaux de sortie (brevet élémentaire, brevet supérieur) permettant de passer les concours de la fonction publique ou de prendre un emploi privé. L'enseignement secondaire public est payant. Il n'a pas du tout les mêmes programmes. Les lycées dispensent une culture générale sans finalité professionnelle, fondée sur les « humanités », où l'apprentissage précoce et prolongé du latin tient une place centrale. On trouve en général dans les lycées des « petites classes » évitant aux enfants de famille bourgeoise de fréquenter l'école primaire. Un décret de janvier 1881 a créé un certificat d'aptitude spécial pour les enseignants de cet « élémentaire du secondaire » qui accueille 55 000 garçons dans les années 1930. Du fait de cette étanchéité entre le système primaire et le secondaire, l'« ascenseur social », sous la IIIe République, fonctionne essentiellement au sein du système primaire, avec un fort accroissement des effectifs du primaire supérieur (il triple pour les garçons, décuple pour les filles), tandis que les effectifs du secondaire masculin stagnent. Ce malthusianisme scolaire persistant est rapporté au désir d'éviter les « déclassés » (à dire vrai, plutôt les surclassés), individus qui pourraient par leur seule réussite scolaire nourrir l'ambition d'entrer dans la bourgeoisie. La dénonciation de ces « déclassés » par des idéologues bourgeois est constante tout au long de la IIIe République. Le philosophe Edmond Goblot analyse de manière critique, dans *La Barrière et le niveau* (1925), le rôle de frontière sociale jouée par le baccalauréat. À la différence de l'aristocratie d'Ancien Régime, la bourgeoisie ne définit pas son statut privilégié par sa naissance et la faveur royale, mais par un cursus éducatif restrictif et validé par l'État, comme le souligne Goblot :

> Qu'arriverait-il si l'on pouvait faire des études secondaires sans latin ? Un élève intelligent et travailleur, en complétant ses études primaires élémentaires par l'enseignement primaire supérieur ou même par un bon enseignement technique, pourrait être plus instruit et même plus cultivé que la

> moyenne des élèves de l'enseignement secondaire. Il n'y aurait plus cette inégalité de culture qui distingue les classes sociales ; tout serait confondu. Le bourgeois a besoin d'une instruction qui demeure inaccessible au peuple, qui lui soit fermée, qui soit la barrière. [...] Le baccalauréat, voilà la barrière sérieuse, la barrière officielle et garantie par l'État, qui défend contre l'invasion.

En 1880, 1 % d'une classe d'âge obtient le baccalauréat, et 2,7 % seulement en 1936. Le boursier, fils du peuple (plus souvent petit-bourgeois qu'ouvrier ou paysan) entré dans le secondaire en raison de résultats exceptionnels, est une espèce rare : fort en thème, exposé aux humiliations de condisciples plus fortunés, il vit souvent sa situation comme douloureuse rupture avec son milieu d'origine.

Femmes et savantes ?

L'enseignement secondaire féminin, instauré par la loi Camille Sée de décembre 1880, marque une autre coupure fondamentale dans l'enseignement public : celle qui sépare les sexes. Le projet de lycée féminin a suscité de violentes indignations et son programme est initialement le fruit d'un compromis :

pas de sciences, qui gâtent la sensibilité féminine, pas de grec ni de latin qui font des pédantes, pas de philosophie qui tourne de faibles cerveaux en folles ou en athées, pas de baccalauréat qui ouvre l'Université et d'autres carrières que la maternité. Au XIXe siècle, d'ailleurs, le terme « étudiantes » désignait les jeunes femmes d'origine populaire qui offraient distractions et relations intimes aux étudiants avant que ceux-ci ne contractent mariage dans leur milieu. L'instruction secondaire des filles est justifiée par ses promoteurs comme un moyen de former des mères, sœurs et épouses de citoyens qui ne soient pas sous la seule coupe de l'Église et qui aient assez de culture pour soutenir le mariage bourgeois avec un homme moderne. Quelques femmes, profitant des enseignements dispensés dans le privé ou auprès de professeurs particuliers, commencent cependant à passer le baccalauréat et à entrer à l'université : cette conduite dévergondée fait scandale et suscite des commentaires grivois. En 1924 seulement, la loi Bérard aligne les programmes du secondaire féminin sur celui des garçons. Mais la séparation des sexes en établissements d'enseignement persiste. Elle concerne non seulement les élèves mais aussi le corps enseignant. Les Écoles normales primaires et supérieures ne sont pas mixtes, de même que la plupart des

Agrégations. Du fait de la désaffection progressive des hommes, délaissant l'enseignement pour des métiers plus rémunérateurs, les femmes professeurs font leur entrée dans les établissements masculins. En revanche, au nom d'arguments relatifs à la vertu des élèves, les enseignants masculins sont interdits d'exercice dans les lycées de jeunes filles.

L'École des indigènes

La principale ségrégation dans l'œuvre scolaire de la IIIe République concerne l'enseignement colonial. Jules Ferry n'a pas été seulement le père tutélaire de l'école républicaine. Surnommé « le Tonkinois » par ses adversaires, il fut aussi un ardent partisan de l'expansion coloniale. La France de la IIIe République est une nation qui devient maîtresse d'un vaste empire sur les continents africains et asiatiques. La conquête coloniale est justifiée par des argumentaires économiques et militaires, dans l'intérêt de la nation, mais aussi par la « mission civilisatrice » apportée par les colonisateurs aux colonisés. L'instruction, donc, aurait dû tenir une place importante dans l'œuvre colonisatrice. Ce ne fut pas le cas.

Les débats sur l'enseignement destiné aux colonisés, tout au long de la IIIe République, ont été virulents. Ils ont porté à leur comble toutes les controverses antérieures soulevées par l'instruction des classes populaires en métropole. Les indigènes ont été souvent déclarés incapables d'appropriation correcte d'un enseignement : il aurait donc été vain et dispendieux de chercher à leur donner quelque instruction. Certains opposants soulignaient les dangers de l'instruction pour tous : scolariser, c'est civiliser mais aussi ouvrir des revendications et donc risquer de mettre en cause le rapport de domination coloniale. La hantise du « déclassé » dangereux a commencé ici avec l'enseignement primaire. Toutefois des républicains ont fait valoir aussi l'intérêt d'une éducation attachant les populations conquises à leur « nouvelle patrie ». Mais quelle éducation ? Le primat donné à l'expansion de la langue française est clair et les langues indigènes sont considérées comme des idiomes barbares (même si des missionnaires, officiers ou administrateurs coloniaux s'occupent de les étudier). Parfois, les pédagogues concernés essaient de penser la population indigène comme une version extrême des populations paysannes françaises. Certains, comme Irénée Carré, suggèrent donc d'appliquer aux enfants des colonies les méthodes qui ont fait leurs preuves avec les écoliers bas-bretons. D'autres, au contraire, insistent sur la nécessité de créer une pédagogie spécifique pour les indigènes, différenciée selon les colonies. De fortes pressions s'exercent en tout cas pour que l'éducation donnée aux indigènes reste limitée et orientée vers les métiers manuels et agricoles. Comme l'avait déjà indiqué Jules Ferry dans un discours au Sénat sur l'Algérie en 1891 :

> Nous ne voulons pas leur rendre familiers nos beaux programmes d'enseignement primaire, nous ne voulons pas leur apprendre beaucoup d'histoire ni beaucoup de géographie mais seulement le français, le français avant tout, le français et rien d'autre. Et si nous ajoutons à cela, comme on en a fait l'essai heureux dans un certain nombre d'écoles, un petit enseignement pratique et professionnel, nous nous apercevons bien vite que le Coran n'est en aucune façon l'ennemi de la science, même sous son aspect le plus humble et plus élémentaire ; et ces populations qui sont avant tout laborieuses, malheureuses, vouées au travail manuel, comprendront vite de quel secours peut bien être cette modeste éducation française dans leur vie de tous les jours[1].

Différence considérable avec la métropole : il n'y a pas eu de politique scolaire unifiée dans l'Empire

1. Jules Ferry, « Discours au Sénat sur l'Algérie », 6 mars 1891, *in* Paul Robiquet, *Discours et opinions de Jules Ferry*, tome VII, Paris, Armand Colin, 1898.

colonial et les pratiques ont considérablement varié d'une colonie à l'autre. Du moins en ce qui concernait la population indigène, puisque les enfants de citoyens français disposaient en général des mêmes structures et des mêmes cursus qu'en métropole. Cet enseignement français n'était ouvert que très marginalement aux autochtones, par crainte de voir « l'élément français noyé au milieu de l'élément indigène ».

L'œuvre scolaire de la IIIe République dans les colonies n'est pas nulle, mais elle est disparate et reste très en deçà – sauf pour la population « blanche » – de ce qui est accompli en métropole. En Algérie, qui fait pourtant partie intégrante du territoire national depuis 1848 et forme trois départements français, le taux de scolarité des « indigènes musulmans », à la fin de la IIIe République, reste très faible (10 %), les filles et les populations rurales étant particulièrement délaissées. La reconnaissance de la citoyenneté française aux colonisés, après la Seconde Guerre mondiale, fait apparaître la nécessité de combler en urgence ce retard et de fournir des enseignants et des établissements. Le programme n'est pas achevé, tant s'en faut, lors des indépendances.

L'UNIFICATION DE L'ENSEIGNEMENT : RÉUSSITE DÉMOCRATIQUE OU ÉCHEC RÉPUBLICAIN ?

Après la Première Guerre mondiale, les revendications d'une plus grande égalité dans les parcours scolaires en métropole et les besoins pour l'économie d'accroître la formation de la population favorisent des tentatives de rapprochement entre les systèmes primaire et secondaire. L'enseignement secondaire devient gratuit dans les années 1930. La sélection financière est remplacée par l'instauration d'un examen d'entrée en sixième, qui maintient une sélection sociale, euphémisée sous forme de niveau scolaire. Le programme éducatif du Front populaire, porté par Jean Zay, voulait poursuivre cette démocratisation : il étend la scolarité obligatoire à quatorze ans. Mais la suppression des petites classes des lycées et la convergence, à partir de la sixième, du primaire supérieur et du secondaire rencontrent une forte opposition. La période de Vichy marque une régression dans la démocratisation de l'enseignement, qui est relancée à la Libération.

L'instauration en France métropolitaine d'un système unique d'enseignement se fait après la Libération en plusieurs étapes. Le plan Langevin-Wallon, proposé dans la lignée du programme du Conseil national de la Résistance, voulait engager rapidement modernisation et démocratisation de l'enseignement français. Il prévoyait l'allongement de la scolarité à dix-huit ans et un tronc commun pour les élèves de onze à quinze ans par l'unification des programmes des cours complémentaires, collèges et lycées. Ces propositions ont rencontré de fortes résistances parmi les parents (refus de la mixité sociale et sexuelle) et elles ont suscité des rivalités entre corps d'enseignants (conflit entre primaire et secondaire). Associé à la gauche communiste, en raison de l'engagement politique des scientifiques qui le dirigèrent, le plan n'a pas été appliqué.

En 1959, la scolarité devient obligatoire pour les enfants de six à seize ans. Mais elle s'allonge aussi par « l'amont ». Une particularité du système français est l'existence d'un enseignement public préélémentaire qui accueille les enfants avant six ans. Né dans les débuts de la IIIe République à l'initiative de Pauline Kergomard, il accueillait à l'origine surtout des enfants de milieux populaires des deux sexes. La fréquentation de cet enseignement facultatif s'est généralisée depuis les années 1960 : il concerne maintenant la quasi-totalité des enfants de trois à six ans et un quart des enfants de deux ans. On peut porter à son crédit une pédagogie originale, une socialisation par le jeu, l'apprentissage précoce de la langue française par les enfants d'origine étrangère. Une autre de ses conséquences est un taux de natalité relativement élevé en France, les jeunes mères pouvant maintenir leur activité professionnelle grâce à l'accueil des enfants en écoles maternelles. Dans le cadre de la forte expansion de la scolarisation, la loi Debré, en décembre 1959, a institué le contrat d'association pour les établissements d'enseignement privé qui le souhaitent. En échange d'un respect des programmes nationaux, les établissements privés bénéficient d'un fort soutien financier de l'État (salaire des enseignants, notamment).

En 1975, la loi Haby introduit le principe du « collège unique », qui abolit la distinction entre les établissements issus de l'ancien enseignement primaire prolongé et le premier cycle des lycées. Dans le nouveau système d'enseignement unifié, les mathématiques prennent la place du latin, en rapide déclin, comme matière discriminante. En 1975 aussi la mixité garçons-filles, qui a commencé dans les établissements créés dans les années 1960, devient obligatoire dans l'enseignement primaire et secondaire public. La mixité de tous les concours d'agrégation est effective en 1976 mais celle de l'École normale supérieure de Paris attendra 1986 ! Le pourcentage de bacheliers dans la population augmente considérablement : inférieur à 3 % d'une classe d'âge avant la Seconde Guerre mondiale, il est passé à 20 % en 1970 et 36 % en 1989. Avec l'introduction des baccalauréats professionnels, le pourcentage actuel est d'environ 65 %.

Un siècle après les lois Jules Ferry, la scolarité a été unifiée et considérablement étendue : cela aurait pu apparaître comme un succès national et le triomphe des idéaux républicains les plus purs. Mais cette nouvelle situation a été vite traitée sur un mode négatif, au point que l'École est aujourd'hui présentée comme le grand échec de la République et le lieu où la nation perdrait sa vitalité et sa force de reproduction. Insuffisamment préparée et accompagnée en termes de pédagogie, de programmes et de formation des enseignants, la démocratisation de l'enseignement secondaire est régulièrement présentée comme un désastre imputable aux « mauvais » élèves et à leurs parents. L'abolition de la distinction qui avait prévalu antérieurement entre les ordres d'enseignement met crûment au jour les enjeux sociaux de la scolarité et de la socialisation des enfants. L'instauration du collège unique a précédé de peu l'apparition d'un chômage massif et endémique et l'inflexion de la courbe qui, depuis quelques décennies, dessinait pour les jeunes générations un avenir professionnel et économique meilleur que celui de leurs parents.

Si la question de l'École est devenue une question centrale en France depuis les années 1980, suscitant une masse de publications et de polémiques, c'est d'abord parce qu'elle concerne la majeure partie de la population. Le ministère de l'Éducation nationale est devenu le premier pour l'importance de son budget et du personnel géré. Les effectifs d'élèves et d'étudiants sont environ de 15 millions, soit le quart de la population, ce qui implique aussi des millions de parents. La généralisation de l'enseignement fait que les diplômes (qui jusqu'au XXe siècle n'avaient à peu près aucune importance) apparaissent aujourd'hui comme un facteur décisif de destin social. Au point d'ailleurs que l'acquisition de la nationalité en vient à être perçue sur le mode de l'examen diplômant. La dénonciation des défauts des jeunes générations et de la baisse de niveau des élèves est une vieille antienne. Elle prend une tonalité paradoxale dans une situation où l'allongement de la durée des études et l'élévation du niveau général de connaissances coïncident avec l'ouverture à tous d'un système d'éducation qui, longtemps, n'avait fonctionné que pour un groupe social restreint. L'École fait donc moins l'objet d'un désintérêt aujourd'hui que d'un surinvestissement, sur un mode angoissé. Si la partie la plus populaire des effectifs d'élèves, c'est-à-dire la jeunesse issue de l'immigration récente, se retrouve au cœur des controverses sur l'École, c'est qu'elle reprend la position de l'intrus, inadapté à l'enseignement secondaire et mettant donc en péril savoirs et autres enseignés. Certains de ses éléments valident d'ailleurs cette exclusion symbolique par la rébellion ou la violence. Imputer les problèmes actuels, indéniables, de l'institution scolaire à des questions d'identité nationale et d'impossible intégration, c'est oublier que l'enseignement des lycées de la IIIe République était en phase avec la culture bourgeoise ; les cultures populaires n'y avaient pas leur place : pas plus que les enfants du peuple.

Souveraineté éducative

Dans l'ensemble des États-nations modernes, la question de l'éducation a pris une place centrale, au point de devenir un des attributs les plus précieux de la souveraineté. L'intégration européenne a montré que la souveraineté éducative est plus difficile à abandonner que la souveraineté juridique et monétaire. Même les États qui sont allés jusqu'à adopter une monnaie commune n'ont pu unifier leurs systèmes d'enseignement. Certes, le processus de Bologne a permis, non sans réticences, une relative harmonisation des cursus universitaires et des possibilités de qualification internationale ; mais les enseignements primaires et secondaires restent largement à détermination nationale. Il existe bien des encouragements pour des échanges (programme Comenius, recommandations du Conseil de l'Europe), mais rien qui ressemble à l'énergique effort entrepris antérieurement dans les États-nations pour le développement d'une identité commune. Il n'existe aucun manuel scolaire européen, même au niveau élémentaire, même pour une matière aussi peu nationale que les mathématiques ! Les seuls manuels non nationaux concernent l'enseignement de l'histoire, à usage binational, ils sont réservés à certaines classes et facultatifs. L'Europe n'a pas non plus suscité de mise en récit plaisante ni de patrimoine de savoirs précocement acquis comme les enseignements nationaux ont su le faire.

VI

UNE SEULE LANGUE POUR LA NATION

« Loin de nuire à l'étude du français, le patois en est le plus utile auxiliaire, et il ne sera pas difficile de démontrer que là où il existe un patois, l'enseignement grammatical, pour peu qu'on sache s'y prendre, devient aussitôt plus intéressant et plus solide. »

Michel Bréal, professeur au Collège de France, *Quelques mots sur l'Instruction publique en France,* 1872.

En 1992, lors d'une révision constitutionnelle préparatoire au traité de Maastricht, la Constitution de la Ve République a été modifiée pour introduire dans son article 2 l'indication suivante : « Le français est la langue de la République ». Les constitutions françaises précédentes ne comportaient aucune mention d'ordre linguistique. Cette précision tardive était *a priori* curieuse : la pratique de la langue française était généralisée sur le territoire national en 1992, ce qui n'était pas le cas en 1892 et encore moins en 1792 !

Les dialectes du royaume

Quand la nation est proclamée, le royaume de France n'est absolument pas unifié sur le plan de la langue. La monarchie française a conduit depuis la Renaissance une politique linguistique, mais restreinte. En 1539, par l'édit de Villers-Cotterêts, le roi François Ier impose la substitution du français au latin comme langue administrative. En 1655, Richelieu fonde l'Académie française : elle doit fixer la langue, lui donner un dictionnaire et veiller à la rendre capable de traiter des arts et des sciences. Cette opération culturelle doit rehausser le prestige du royaume et du monarque. Le français est adopté par d'autres cours et par beaucoup de lettrés européens, au point d'être considéré comme une langue universelle des élites cultivées, apte à supplanter le latin pour les écrits savants. Sur prescription de Frédéric II de Prusse, l'Académie de Berlin délibère en français. Elle propose en 1783, pour sujet d'un prix, les questions suivantes : « Qu'est-ce qui a rendu la langue française universelle ? Par où mérite-t-elle cette prérogative ? Est-il à présumer qu'elle la conservera ? » *Le Discours sur l'universalité de la langue française* d'Antoine de Rivarol gagne le prix en 1784.

Mais nombreux sont alors les sujets du royaume de France, surtout dans la paysannerie, qui ne parlent pas le français, ne savent pas le lire et encore moins l'écrire. Ils s'expriment dans des dialectes, relevant de familles linguistiques distinctes : dialectes d'oc et d'oïl, catalans, basques, italiens, bretons, flamands, alémaniques. Séjournant à Uzès, Racine se lamentait dans une lettre à La Fontaine sur son incapacité à comprendre les autochtones (11 novembre 1661) : « Je vous jure que j'ai autant besoin d'un interprète qu'un Moscovite en auroit besoin dans Paris. Néanmoins je commence à m'apercevoir que c'est un langage mêlé d'espagnol et d'italien ; et comme j'entends assez bien ces deux langues, j'y ai quelquefois recours pour entendre les autres et pour me faire entendre. »

La diversité linguistique de la paysannerie, et même d'une partie de la bourgeoisie (plus ou moins bilingue), ne fait nullement problème pour le monarque : il attend surtout de ses sujets qu'ils payent l'impôt et ne se révoltent pas. Cette situation est d'ailleurs très banale à l'ère prénationale. Aujourd'hui, en Europe, une nation est associée à une langue, qui dans la majeure partie des cas lui est spécifique : les Français parlent français, les Suédois parlent suédois, les Bulgares, bulgare, les Portugais, portugais, les Grecs, grec, etc. Les frontières étatiques coïncident à peu près à des frontières linguistiques et l'on peut circuler à l'intérieur d'un même État en parlant la même langue. À la fin du XVIIIe siècle, la situation est radicalement différente. Plusieurs langues coexistent au sein d'un même État, leur usage dépendant des origines géographiques, du statut social de l'utilisateur mais aussi du sujet traité. Les langues utilisées pour une conversation de cour, un écrit savant, une transaction commerciale, la vie domestique ou l'office religieux peuvent être complètement différentes.

LA LANGUE NATIONALE

La proclamation de la nation change tout. Très vite, les révolutionnaires français estiment nécessaire que les citoyens pratiquent la même langue pour débattre des affaires communes. Une politique d'instruction publique est donc envisagée pour développer la connaissance du français et l'alphabétisation. Mais dans l'immédiat, par pragmatisme, les nouveaux décrets sont traduits dans les principales langues en usage sur le territoire. L'abbé Grégoire, député du tiers état et républicain, entreprend en août 1790 une enquête sur la situation linguistique du pays. Mais face à la série de crises graves, internes et externes, qui mettent en péril la nation nouvelle, la diversité culturelle et linguistique est vite assimilée à la contre-révolution. Devant la Convention, au nom du Comité de salut public, le député Barère dénonce les parlers régionaux comme langues ennemies : « Le fédéralisme et la superstition parlent bas-breton ; l'émigration et la haine de la République parlent allemand ; la contre-révolution parle l'italien et le fanatisme parle le basque. Brisons ces instruments de dommage et d'erreur. [...] Chez un peuple libre la langue doit être une et la même pour tous[1]. »

La diversité linguistique est désormais considérée comme arme des coalisés et des prêtres réfractaires ennemis de la nation. Le rapport que l'abbé Grégoire présente à la Convention le 16 prairial an II (14 juin 1794) s'intitule *Rapport sur la nécessité et les moyens d'anéantir les patois et d'universaliser l'usage de la langue française.* Le projet n'était pas si aisé à réaliser : l'universalisation – sur le territoire français – de la langue française va nécessiter un bon siècle. Le développement du système d'éducation, la mobilité sociale et géographique, le service militaire, l'expansion de la presse et des romans populaires ont été les principaux facteurs de cette généralisation du français.

---

1. Rapport au Comité de salut public sur les idiomes, pluviôse an II, 27 janvier 1794.

En fait, les dialectes ont été traités comme des archaïsmes appelés à disparaître mais aussi comme des éléments patrimoniaux, des « monuments linguistiques » de la nation : il fallait donc les recenser et les décrire. En 1806, Charles Coquebert de Montbret, directeur du nouveau Bureau de la statistique, lance une grande enquête linguistique, menée au sein du ministère de l'Intérieur et relayée par les préfets. Les versions en langue locale d'un texte unique, la « parabole de l'Enfant prodigue », sont recueillies sur tout le territoire. Au début du XIXe siècle, le breton, langue celtique, suscite d'ailleurs un vif intérêt puisque certains lettrés pensaient que c'est la langue de « nos ancêtres les Gaulois » (voilà pourquoi Astérix réside en un village de Basse-Bretagne !).

L'association entre unification linguistique et passage au stade national n'est pas caractéristique de la France. On la retrouve dans tous les processus de construction nationale au XIXe siècle. Partout domine l'idée que la nation doit être incarnée et exprimée dans une langue pratiquée par tous, pour tous les types de communication. Le français était la langue du roi, mais il était aussi la langue des bourgeois et des lettrés révolutionnaires. Il était la langue de la cour mais aussi celle du peuple parisien. Langue prestigieuse et vivante, illustrée par une impressionnante somme de publications, le français s'est imposé comme langue de la nation. En revanche, dans une grande partie de l'Europe, la langue nationale n'est pas issue de celle du pouvoir : beaucoup de cours parlaient français, ou la langue d'un autre pays à plus grand prestige culturel. Dans de nombreux pays européens, la langue nationale a été constituée au XIXe siècle à partir de langues écrites à usage restreint, modernisées et vivifiées par des expressions dialectales (cas de l'italien, par exemple) ou bien à partir de dialectes synthétisés (cas des langues balkaniques, du finnois, de l'estonien, etc.). Le développement de ces nouvelles langues nationales au XIXe siècle amorce un recul progressif de la langue française en Europe.

En général, les langues créées ou modernisées au XIXe siècle ont été transcrites selon des principes graphiques unifiés et cohérents : il fallait répondre à l'objectif d'une diffusion de masse. Leur orthographe est donc standardisée, la prononciation des mots écrits est sans surprise. En revanche, anglophones et francophones utilisent d'anciennes langues royales qui ont été codifiées par des érudits, à différentes périodes, selon des principes d'esthétique et d'étymologie plutôt que de rationalité. Pour apprendre le français ou l'anglais écrit, il faut donc consacrer un temps précieux à mémoriser d'innombrables

« règles » d'orthographe et leurs non moins innombrables « exceptions ». La maîtrise de l'orthographe, à partir du moment où la connaissance de l'écrit s'est démocratisée, est devenue un marqueur social. Investie d'une forte valeur patrimoniale, l'orthographe de l'anglais et du français est aussi matière à sport cérébral, donnant lieu à de véritables compétitions (*Spelling bees* dans les pays anglo-saxons ou « Dicos d'or » français créés en 1985 par le journaliste Bernard Pivot). Engagée avec le système public d'enseignement primaire à la fin de la IIIe République, la « guerre de l'orthographe » fait rage régulièrement dans la presse, l'univers pédagogique et même à l'Assemblée nationale. Sans grands résultats en matière de simplification et rationalisation. La généralisation croissante de l'écrit modifie la donne (contrairement à une idée reçue, l'écrit n'est pas en déclin mais en forte expansion depuis quelques décennies). Les nouveaux espaces de l'écrit sont beaucoup moins régulés par les normes scolaires ou rédactionnelles (presse écrite, édition traditionnelle) et la notion de faute s'efface au profit de la seule lisibilité. L'écriture sur supports électroniques, où la recherche de rapidité devient primordiale, introduit de nouveaux codes en matière de graphie et de ponctuation.

Des dialectes aux langues régionales

Dans la quasi-totalité de l'Europe, le passage au stade national s'est appuyé sur la promotion d'une langue spécifique à la communauté et la généralisation de son usage pour la communication intranationale. Mais l'intolérance à la diversité linguistique est en France plus vive qu'ailleurs. Cela tient sans doute à l'assimilation originelle entre langues locales et ennemis de la nation, prolongée par le long conflit entre les républicains et un clergé catholique accusé de prêcher dans les dialectes locaux pour mieux maintenir ses fidèles dans l'obscurantisme.

Pourtant, des langues régionales modernes ont été formées en France, sur un modèle analogue à celui des langues nationales modernes en Europe. Sur la base des dialectes locaux et de documents écrits antérieurs, elles ont été codifiées et valorisées par des écrits littéraires et journalistiques. Ce fut le cas, notamment, pour le breton et la langue d'oc. Au cours du XIXe siècle, de jeunes lettrés – parfaitement instruits dans la langue française – ont voulu rendre aux parlers qui entraient en discrédit face au français une reconnaissance culturelle. Des générations d'intellectuels bretons ont rédigé une littérature moderne en breton et se sont occupés de codifier la langue par des grammaires et des dictionnaires. La langue d'oc, dans laquelle avait été composée au Moyen Âge une littérature prestigieuse, était encore vivante au XIXe siècle sur un vaste espace méridional : mais elle était en net recul et dévalorisée comme pratique populaire. En 1854, de jeunes poètes provençaux créent le Félibrige, association qui veut promouvoir la langue d'oc. Sous l'égide de Frédéric Mistral, ils établissent un grand dictionnaire, *Le Trésor du Félibrige,* définissent une norme graphique et publient des œuvres littéraires, des journaux, un almanach. Le poème épique de Mistral, *Mirèio* (1851), est traduit en de nombreuses langues, Gounod en tire un opéra dès 1864. Couronné par le prix Nobel de littérature en 1904, Mistral consacre la dotation reçue à la création d'un musée d'ethnographie provençale, le Museon Arlaten. Le mouvement du Félibrige essaime dans tout le midi de la France : il a même une antenne parisienne, que rappelle le jardin des Félibres à Sceaux

Une et indivisible

Ces mouvements culturels bretons et provençaux menaçaient-ils l'unité de la France ? Guère. Même s'ils produisirent des motions et des discours enflammés, leurs actions n'allaient guère en ce sens, et leurs membres étaient en général tout à fait intégrés dans l'espace politique et social français. Le mouvement du Félibrige recrutait surtout dans les classes moyennes et comptait dans ses rangs de nombreux fonctionnaires. Les ecclésiastiques et la noblesse tenaient une place plus importante, mais non exclusive, dans le mouvement breton. Leur souci de l'ordre et des traditions n'était d'ailleurs pas incompatible avec l'insertion dans la nation française ; à la fin du XIXe siècle, ces milieux pouvaient même en reconnaître la République. Le marquis de l'Estourbeillon, député catholique conservateur du Morbihan, n'hésitait pas à venir à l'Assemblée nationale en costume breton. Ce très actif animateur de l'Union régionaliste bretonne conduisit, en 1909, une délégation qui demandait l'enseignement de la langue bretonne dans les lycées et collèges de Bretagne. La demande fut refusée au prétexte que « l'enseignement du breton favoriserait les tendances séparatistes ». Mais la guerre de 1914 montra l'engagement des populations bretonnes dans la défense nationale ; le marquis de l'Estourbeillon, engagé volontaire, reçut d'ailleurs la Légion d'honneur.

Il y a bien eu, au XXe siècle, des revendications d'autonomie, voire de sécession, surtout dans deux contextes politiques : l'entre-deux-guerres, puis les années 1965-1975. Dans le premier cas, la promesse d'application en Europe du principe des nationalités, utilisé pour le démantèlement de l'Empire austro-hongrois, et l'indépendance irlandaise ont nourri l'autonomisme breton. Dans les années 1960, la dénonciation du colonialisme et du capitalisme industriel à soutien étatique a fourni de nouvelles références idéologiques aux militants locaux. Les régions périphériques, moins industrialisée, comme la Bretagne, le Languedoc, la Corse, ont été assimilées par certains à des « colonies intérieures ». Cela explique l'intitulé de mouvements comme le FLB (Front de libération de la Bretagne) ou le FLNC (Front de libération nationale corse). Mais, dans l'une et l'autre période, la perspective sécessionniste est restée minoritaire, les demandes des populations portant plutôt sur une plus grande autonomie, administrative et culturelle, refusée par un État français fortement centralisé. La loi Deferre de 1982 a introduit une légère décentralisation mais les attributions et pouvoirs des régions françaises restent très limités en regard de leurs homologues dans les autres grands pays européens.

Contre la fragmentation de la société et du territoire qui caractérisait l'Ancien Régime, la République a été proclamée une et indivisible. L'intégration du pays et de ses habitants en une communauté unique se confond-elle pourtant avec le jacobinisme ? Le terme a pour origine la société révolutionnaire qui se réunissait dans le couvent des Jacobins. Certains de ses membres, comme Robespierre, ont joué un rôle de premier plan sous la Terreur. La référence aux jacobins est restée forte au XIXe siècle parmi les militants républicains, par opposition aux libéraux. Le terme jacobinisme a fini par s'appliquer à une conception de la République caractérisée par un extrême centralisme, une concentration de tous les pouvoirs à Paris et une absolue uniformité administrative, juridique et culturelle du territoire. Une telle gestion du pays est source de pesanteurs, notamment en matière économique, et peu démocratique. Depuis près de deux siècles, les revendications de décentralisation se succèdent : elles sont en général soutenues par les partis d'opposition, qui s'empressent de les enterrer ou de les édulcorer lorsqu'ils parviennent au pouvoir. Le centralisme est un excellent outil de contrôle du pouvoir lorsqu'on y est parvenu. Le centralisme est aussi souvent crédité d'une meilleure prise en compte de l'intérêt général : les pouvoirs locaux sont régulièrement dénoncés comme trop proches des électeurs, trop sensibles à leurs intérêts particuliers (accordant, par exemple, des permis de construire sans tenir compte des avertissements de risques émanant de l'administration centrale). En outre, la décentralisation ouvre de nouvelles répartitions du pouvoir dont la définition est conflictuelle. Il y a eu, depuis le milieu du XIXe siècle, des quantités de projets de régionalisation de la France : toujours la définition des territoires et de leurs métropoles locales a été source de conflits virulents. Aucune ville de province ne souhaite être vraiment subordonnée à une autre et la domination par Paris, subie par tous, paraît finalement moins redoutable. Depuis plus d'un siècle, le découpage départemental, conçu en un temps où les déplacements les plus rapides se faisaient à cheval, où la France était un pays essentiellement rural, a suscité de nombreuses critiques. Les régions, collectivités locales plus vastes et plus adaptées à la modernité, devaient lui succéder. En fait, les actuelles régions, créées au début de la Ve République, n'ont pas remplacé les départements : elles ne sont d'ailleurs que des regroupements de départements.

Le résultat de ce centralisme continué depuis deux siècles, et régulièrement accru à mesure que l'implication de l'État dans la vie sociale et culturelle augmentait, a contribué à confondre République, centralisme et uniformité territoriale. Du coup, les références aux cultures régionales ou à des communautés intra-nationales sont régulièrement dénoncées comme menace pour la République. Le régime antirépublicain de Vichy a fourni apparemment des arguments en ce sens. La Révolution nationale se prétendait régionaliste. Le maréchal Pétain avait fait du folklore paysan la culture officielle du régime et il accorda une reconnaissance – limitée – aux langues régionales. Mais l'État français pétainiste, soumis à l'Allemagne nazie, s'est montré hostile à toute autonomie locale, si limitée fût-elle (même l'élection des conseils municipaux fut supprimée). Certains militants régionalistes ont été néanmoins sensibles à la propagande de la Révolution nationale, espérant la prise en compte de leurs attentes. Quelques-uns collaborèrent avec les nazis, par idéologie ou opportunisme stratégique, en Bretagne, en Flandres, en Alsace. D'autres entrèrent en Résistance.

L'École : sacre du français

L'État républicain a été constant dans le refus d'enseignement des langues régionales malgré de nombreuses demandes, venant de tous les bords politiques. Dès 1870 (avant la guerre contre l'Allemagne), une pétition en ce sens a été adressée au corps législatif. Parmi ses trois signataires figure Charles de Gaulle, oncle du futur homme d'État et grand amateur de culture celtique. À une nouvelle requête portée par la Fédération régionaliste française, en 1925, le ministre de l'Instruction publique Anatole de Monzie répond par une circulaire sans ambages : « L'École laïque [...] ne saurait abriter des parlers concurrents d'une langue française dont le culte jaloux n'aura jamais assez d'autels. »

Pourtant, de nombreux intellectuels, comme Michel Bréal, professeur de grammaire comparée au Collège de France, insistent sur l'intérêt d'utiliser les patois comme ressource dans l'apprentissage du français. Jean Jaurès, dans un article intitulé « L'Éducation populaire et les patois », développe l'idée : « Pourquoi ne pas profiter de ce que la plupart des enfants de nos écoles connaissent et parlent encore ce qu'on appelle d'un nom grossier "le patois" ? Ce ne serait pas négliger le français, ce serait le mieux apprendre familièrement dans son vocabulaire, dans sa syntaxe, dans ses moyens d'expression, avec le languedocien et le provençal[1]. »

Jaurès ajoute que la référence à la langue d'oc permet de mieux comprendre les racines latines du français. L'idée sera souvent reprise. Comme l'apprentissage du latin dans l'enseignement public est privilège de la bourgeoisie, la langue d'oc est présentée comme le « latin du pauvre », seul moyen pour les enfants de milieux populaires d'avoir accès aux origines latines de la culture française.

Les instituteurs de la IIIe République ont été souvent dépeints en farouches hussards noirs de la République monolingue. Le souvenir de punitions plus ou moins humiliantes à l'encontre de ceux qui parlaient « patois » a marqué les mémoires : règlements stipulant qu'il est défendu « de parler breton et de cracher par terre », usage du « symbole », cet objet que devait porter le dernier enfant surpris à parler patois avec punition à la clé. En fait, les dialectes ont été combattus dans les enceintes scolaires surtout comme parlers arriérés et méprisables, associés comme l'argot au manque d'éducation et de civilité. Mais les instituteurs publics ne formèrent pas un front uni contre les

1. Jean Jaurès, « L'Éducation populaire et les patois », *La Dépêche du Midi,* 15 août 1911.

langues régionales[1]. Durant la IIIe République, beaucoup participèrent aux associations de promotion des langues régionales. Souvent aussi, par pragmatisme, ils composèrent avec l'obligation de bannir le patois de l'enceinte scolaire. Un des grands principes pédagogiques de l'école de la IIIe République était qu'il fallait partir du « connu pour aller vers l'inconnu ». Une partie des enseignants, notamment lorsqu'ils étaient engagés à gauche, étaient soucieux de transmettre aux enfants le respect des cultures populaires et de ne pas séparer l'école de la vie.

C'est le groupe Communiste et apparentés qui, après la Seconde Guerre mondiale, dépose à l'Assemblée les premières demandes pour l'enseignement des langues régionales. Les rapporteurs déclarent que la revendication linguistique ne doit pas être assimilée à la réaction mais plutôt à l'esprit de résistance (« la Bretagne bretonnante est infiniment moins conservatrice que la Bretagne non bretonnante » ; « la Catalogne a une longue tradition démocratique »). La démocratisation de l'enseignement, soulignent-ils, doit prendre en compte l'expérience linguistique familial des enfants : « En respectant l'acquis breton de l'enfant, en en tirant parti dans le

1. Voir Jean-François Chanet, *L'École républicaine et les petites patries*, Paris, Aubier, 1996 et Anne-Marie Thiesse, *Écrire la France, le mouvement littéraire régionaliste*, Paris, PUF, 1991.

double but de lui inculquer la connaissance du français et de développer ses diverses aptitudes, on éviterait d'agrandir le fossé qui, trop souvent, sépare l'école de la vie. C'est en associant la langue bretonne au travail scolaire que l'on peut le mieux, en Basse-Bretagne, respecter la spontanéité enfantine et obtenir la confiance du petit paysan qui, entrant à l'école, ne parle que le breton et se sent dès l'abord "infériorisé"[1]. »

La loi Deixonne, promulguée en 1951, prévoit un enseignement facultatif des langues régionales dans l'enseignement primaire et secondaire, mais les circulaires d'application en restreignent fortement la portée. Cependant le statut des langues régionales change complètement à partir des années 1970. Le nombre de locuteurs par transmission familiale décline fortement. Du coup, les langues régionales ne sont plus perçues comme des « patois » grossiers de paysans ou de marins pauvres ; elles peuvent être traitées comme langues de culture. La nouvelle sensibilité écologique de la fin du XXe siècle s'émeut de la disparition des langues et fait de leur préservation un devoir collectif. En 1989, une loi d'orientation prise

1. « Proposition de résolution tendant à inciter le gouvernement à prendre les arrêtés et mesures nécessaires à la conservation de la langue et de la culture bretonne », 16 mai 1947, cité par Bernard Gardin, « Loi Deixonne et langues régionales », *in* Jean-Baptiste Marcellesi (dir.) *Langue française*, vol. XXV, Paris, Larousse, 1975.

par Lionel Jospin reconnaît une place facultative des langues régionales à tous les niveaux d'enseignement et crée des concours de recrutement de professeurs du secondaire spécifiques. Ces CAPES concernent aujourd'hui le basque, le breton, l'occitan, le catalan, le corse, le tahitien et le créole. Ils sont tous, sauf le corse, bivalents (association de deux matières dans les concours de recrutement et l'enseignement). La liste des langues pouvant faire l'objet d'un enseignement facultatif comprend aussi quatre langues mélanésiennes (depuis 1992) ainsi que le gallo, le francique et l'alsacien (depuis 2006).

Pourtant, la « guerre linguistique » a repris dans les années 1990. À l'origine, l'expression d'un nationalisme non dénué de violence en Corse et la promulgation d'un statut particulier pour l'île qui est devenue en mai 1991, sous l'impulsion du ministre de l'Intérieur Pierre Joxe, une collectivité territoriale. De vives polémiques s'engagent sur l'article 1er de la loi votée qui mentionne la « communauté historique et culturelle vivante » formée par « le peuple corse, composante du peuple français ». Le Conseil constitutionnel le déclare contraire à l'article 2 de la Constitution qui affirme l'indivisibilité de la République. L'introduction dans la Constitution, l'année suivante, de l'indication : « le français est la langue de la République » s'inscrit dans ce contexte de nouvelles angoisses sur l'unité de la nation. La Charte européenne des langues régionales et minoritaires, qui les constituait en patrimoine commun et demandait aux États d'en faciliter la pratique, a été signée partiellement par la France en 1999. Puis elle a été déclarée incompatible avec la Constitution française, du fait du récent ajout linguistique. En juin 2008, pour apporter quelque compensation, un nouvel ajout constitutionnel a été introduit. Il indique que « les langues régionales appartiennent au patrimoine de la France ».

Français et francophones

L'anglais, plus que les langues régionales, est aujourd'hui dénoncé comme menace pour la langue française. La loi Toubon de 1994 vise à protéger le français dans l'espace national. Mais c'est surtout sur la scène internationale que le déclin relatif de la langue française est sensible. De son ancienne position de langue universelle, elle garde le statut de langue officielle à l'ONU, au Conseil de l'Europe, au CIO, mais elle est fortement concurrencée par l'anglais pour les échanges internationaux en matière économique, scientifique et pour les communications internationales, privées et professionnelles. Depuis les années 1960, l'État mène une politique résolue en faveur de la langue française et de son expansion. Mais le rapport entre la France et le français n'est pas dénué d'ambiguïtés, que l'on retrouve dans les débats actuels sur l'identité nationale.

La Constitution précise maintenant que « la langue de la République est le français ». Mais le français n'est pas la langue de la République. Pas en propriété exclusive, en tout cas. C'est l'une des langues officielles d'États limitrophes (Belgique, Suisse, Luxembourg) et du Canada. Le nombre relativement élevé de francophones (200 millions environ actuellement) tient surtout à l'ancienne expansion coloniale. L'Organisation internationale de la francophonie rassemble principalement d'anciennes colonies françaises, associées à des pays comme la Roumanie où le français est langue de culture. Le terme francophone, dans ses usages actuels, ne désigne pas tous les locuteurs du français puisqu'il est appliqué surtout à ceux qui ne sont pas français (les écrivains français originaires des Antilles sont aussi parfois désignés comme francophones). La distinction est cruciale. On met souvent en avant la pratique de la langue comme critère premier d'intégration à la nation. La connaissance de la langue française est d'ailleurs maintenant une des conditions explicites de la naturalisation des étrangers ou de l'immigration légale. Mais cette condition nécessaire n'est pas suffisante puisque de nombreux francophones, issus des anciennes colonies, échouent à obtenir naturalisation ou carte de séjour.

Du fait de l'immigration, la diversité des langues en usage sur le territoire national est aujourd'hui très élevée. Le traitement de ces langues de l'immigration évoque souvent celui des anciens patois. Langues de pauvres – et donc assimilées à des langues pauvres, grossières, sans intérêt culturel –, elles sont suspectées de nourrir des communautarismes hostiles à l'intégration. Leurs locuteurs devraient les abandonner comme des guenilles pouilleuses pour entrer pleinement dans la nation. Les familles immigrées, d'ailleurs, comme les paysanneries autrefois, voient souvent dans cet abandon un gage d'ascension sociale pour les jeunes générations.

Le discours sur la langue nationale en France s'est développé, depuis deux siècles, sous le signe de la menace : péril d'éclatement de la nation par la diversité linguistique interne et maintenant risque de rupture des digues inlassablement rebâties contre le tsunami anglais. Bien sûr, la pratique d'une langue commune est un élément majeur de cohésion pour une nation. Elle protège des fractures sur base linguistique qui traversent aujourd'hui certains États européens. La fragmentation linguistique de l'Union européenne est d'ailleurs un des principaux obstacles à la constitution d'un espace public, culturel et politique, pour les citoyens européens. Mais la conception de la France comme forteresse farouchement monolingue n'est pas non plus sans inconvénients, notamment en termes d'apprentissage des langues étrangères, qui est un des points faibles des élèves français. Pratiquer dès l'enfance des langues différentes, est-ce un handicap ou un atout ? Les familles de la bonne société, autrefois, engageaient des nurses étrangères pour familiariser leurs enfants avec des langues diverses. De nombreuses observations pédagogiques ont montré que le bilinguisme précoce développe des compétences (perception de phonèmes, aisance sémantique et syntaxique) qui facilitent l'acquisition d'autres langues. Pourquoi ne pas considérer la diversité linguistique actuelle de la France comme une ressource culturelle, pédagogique et économique, un potentiel à développer, plutôt que comme une menace à éradiquer ?

VII

Casquettes, coiffes et cornettes

« [Sénécal] ouvrit la séance par la Déclaration des droits de l'homme et du citoyen, acte de foi habituel. [...] "La Casquette !" se mirent à hurler, au fond, les patriotes. Et ils chantèrent en chœur la poésie du jour : "*Chapeau bas devant ma casquette, À genoux devant l'ouvrier !*" »

Flaubert, *L'Éducation sentimentale,* 1869.

La première élection au suffrage universel (masculin) a eu lieu en France en avril 1848. Le principe du suffrage universel avait été adopté dès la Constitution de 1793, mais il fallut plus d'un demi-siècle et deux autres révolutions avant sa mise en application. Proclamer l'égalité politique des citoyens était une chose, la rendre concevable et acceptable par tous supposait en préalable de considérables transformations des représentations sociales. La capacité du peuple à participer aux décisions politiques n'était pas tenue pour évidente, loin de là, par une bourgeoisie qui avait mis en cause l'ordre ancien et les privilèges de la naissance mais qui considérait que la bonne gouvernance était affaire de possédants. Le principe d'égalité posé à la fin du XVIIIe siècle a ouvert toute une série de questions qui organisent la vie politique et les conflits ultérieurs : l'égalité doit-elle être vraiment appliquée à tous/toutes ? Comment la concilier avec le maintien de l'ordre social ? L'égalité juridique et politique doit-elle conduire à l'égalité économique et sociale ?

Suspendu durant l'ère napoléonienne, le droit de vote a été rétabli en 1815, mais sous forme censitaire. Le corps électoral était limité aux individus payant des contributions directes supérieures à un certain montant, c'est-à-dire des notables possédant des biens importants (et âgés de plus de vingt-cinq ans). Même abaissé sous la monarchie de Juillet, ce montant restait assez élevé pour n'admettre que 246 000 électeurs. Avec la proclamation du suffrage universel – et l'abaissement de l'âge minimal à vingt et un ans – on passe en 1848 à 9 millions d'électeurs. Ce changement d'échelle ouvre véritablement l'entrée en démocratie. Le principe de la représentation politique du peuple est définitivement acté. Tous les conflits vont désormais porter sur la détermination du peuple admis à la citoyenneté et à l'égalité politique. Le suffrage universel s'impose, mais au prix d'exclusions non négligeables et durables : les femmes (jusqu'en 1944), les militaires de carrière (1945) et les « indigènes » de l'Empire colonial (1946). L'âge de la majorité a été abaissé de vingt et un à dix-huit ans en 1974.

La paysannerie, socle de la nation

La paysannerie constituait la grande majorité de la population française en 1789. Pendant des siècles, elle avait été considérée comme un monde dépourvu de culture, grossier, et susceptible de violentes révoltes. Dans *Les Chouans,* Balzac se livre au portrait-charge d'un paysan breton, tel que le découvre avec horreur un officier des troupes républicaines :

> Cet inconnu, homme trapu, large des épaules, lui montrait une tête presque aussi grosse que celle d'un bœuf, avec laquelle elle avait plus d'une ressemblance. Des narines épaisses faisaient paraître son nez encore plus court qu'il ne l'était. Ses larges lèvres retroussées par des dents blanches comme de la neige, ses grands et ronds yeux noirs garnis de sourcils menaçants, ses oreilles pendantes et ses cheveux roux apparte-

naient moins à notre belle race caucasienne qu'au genre des herbivores[1].

L'intégration politique de la paysannerie dans la nation s'accompagne d'une revalorisation importante de son statut. Dans un premier temps, sa « sauvagerie » populaire est interprétée comme signe d'une arriération tout à fait intéressante. Des lettrés patriotes déclarent que si le paysan a l'air franchement primitif, c'est parce qu'il a peu évolué depuis les origines de la nation. C'est une merveilleuse trouvaille pour la nation moderne qui doit compenser sa dimension révolutionnaire et son absence de référence à la volonté divine par un ancrage au plus profond du sol et de l'histoire. Justement, grâce à la paysannerie, elle se trouve pourvue, en quantité, de reliques de ses origines. Dans les débuts de l'ère nationale, les paysans font donc office de lien vivant entre le présent et les lointains ancêtres. Balzac, dans son portrait du chouan, décrit longuement l'habit très rustique du paysan breton en affirmant que c'est exactement celui que portaient autrefois les Gaulois !

Grâce à la tradition, la culture originelle de la nation aurait été transmise à travers les siècles, avec

1. Honoré de Balzac, *Les Chouans, ou la Bretagne en 1800,* Paris, Urbain, 1829.

quelques altérations. Les savants qui créent l'Académie celtique à Paris en 1804 pensent exhumer les antiquités nationales en recensant toutes les coutumes, toutes les croyances et tous les dialectes en usage sur le territoire français. Le monde paysan est traité comme un espace archéologique qu'il faut fouiller en urgence avant que la modernité ne l'ait enseveli. Tous ceux qui étudient et consignent la littérature orale et les coutumes populaires, au XIXe siècle, lancent le même cri d'alarme : les cultures populaires sont des trésors nationaux venus du fond des âges mais elles sont menacées de disparition imminente. En fait, comme pour les monuments historiques, l'entrée dans la modernité a considérablement augmenté le goût pour le passé – et donc la quantité de traditions préservées. *L'Invention de la tradition* : sous ce titre les historiens britanniques Hobsbawm et Ranger ont publié en 1983 un livre qui présente une série d'exemples de traditions rénovées depuis l'entrée en modernité. Beaucoup de traditions dont nous situons l'origine dans un « autrefois » très ancien ont été en fait constituées, en tout cas reconstituées, à l'ère nationale. Comme pour les monuments historiques, il y a eu des opérations de restauration ou des créations modernes en imitation de modèle ancien. Beaucoup de fêtes populaires – en général des cérémonies religieuses, comme les pardons bretons – sont devenues des spectacles publics attractifs pour les touristes alors qu'elles n'avaient auparavant que valeur communautaire. Sur les tableaux pittoresques, puis les cartes postales et les affiches publicitaires, on voit depuis le XIXe siècle beaucoup de costumes paysans régionaux : ils sont de plus en plus beaux, colorés, extravagants. Ces costumes de fêtes et de spectacles ne ressemblent guère aux tenues paysannes décrites dans les siècles précédents : ils sont très différents aussi des vêtements sombres et sobres portés dans la vie quotidienne ou de travail. On y voit des coiffes féminines extraordinaires, excroissances de plus en plus monumentales d'un couvre-chef initialement assez plat : les exemples les plus fameux sont les blanches coiffes bigouden, qui ont crû verticalement jusqu'à 30 centimètres au XXe siècle ou les noires alsaciennes à expansion horizontale non moins spectaculaire.

Avec les débuts de l'industrialisation, la fabrication artisanale a été concurrencée économiquement par les produits manufacturés. Puisqu'il ne produisait plus les biens les moins coûteux, destinés aux plus pauvres, l'artisanat a pris une nouvelle valeur : celle du fait main, de l'authenticité issue d'un savoir-faire traditionnel. Bourgeois et aristocrates se sont mis à s'intéresser aux objets rustiques, à les décrire, les collectionner. Comme les bâtiments anciens, ils ont été vus dans une nouvelle perspective, qui mettait en lumière leur esthétique. Les expositions internationales (la première a lieu à Londres en 1851) ont servi de vitrine aux dernières inventions industrielles et technologiques. Mais les nations y ont aussi mis en scène leur identité, par l'architecture des pavillons et par la présentation soignée de fabrications artisanales (textiles, objets domestiques, meubles ruraux). Pour l'éducation du public, des musées nationaux et régionaux ont été consacrés aux « Arts et traditions populaires » à partir de la fin du XIXe siècle. Ces musées de folklore étaient présentés comme des réalisations patriotiques permettant au public urbain de retrouver et d'admirer ses racines. L'artisanat paysan a beaucoup servi comme modèle d'inspiration pour les meubles, les textiles ou les maisons modernes. Le terme folklore, créé en 1847 par William Thoms, bibliothécaire du Parlement à Londres, désigne la science qui étudie les cultures populaires et, par extension, les coutumes populaires elles-mêmes, anciennes ou « restaurées ». Le folklore paysan est désormais présenté comme une culture populaire saine, authentique, antithèse des nouvelles formes de la culture de masse, urbaines et commerciales.

Les mouvements de jeunesse de toute obédience idéologique, pendant des décennies, ont attribué une haute valeur éducative aux chants et danses traditionnels. En France, cependant, le terme folklore a pris, depuis les années 1950, un sens péjoratif, désignant une tradition frelatée, kitsch et commerciale. La paysannerie jouit maintenant d'un capital d'estime considérable qui contraste avec son élimination douloureuse de la production économique.

LES BARBARES DANS NOS CITÉS

À partir de 1848, la paysannerie française dans son ensemble n'apparaît plus comme une classe dangereuse susceptible de se révolter, mais plutôt comme une population assez attachée à la propriété foncière pour souhaiter la conservation de l'ordre social. Elle incarne un peuple gardien des traditions nationales et du sol sacré de la patrie. Les qualifications négatives qui lui étaient associées antérieurement sont reportées sur le prolétariat urbain, grossi par l'exode rural puis l'immigration étrangère. Dès les années 1830 se développe la hantise des classes laborieuses et dangereuses qui cernent les villes. Après l'insurrection des canuts lyonnais, le journaliste Saint-Marc Girardin s'exclame, le 8 décembre 1831, dans *Le Journal des débats* : « Aujourd'hui, les barbares qui menacent la société ne sont point au Caucase ni dans les steppes de la Tartarie ; ils sont dans les faubourgs de nos villes manufacturières. »

En 1842, le romancier dandy Eugène Sue commence à publier dans le *Journal des débats* un roman-feuilleton, *Les Mystères de Paris*. L'introduction propose au lecteur une descente dans les bas-fonds parisiens – exotisme, argot et grands frissons garantis :

> Nous allons essayer de mettre sous les yeux du lecteur quelques épisodes de la vie d'autres barbares aussi en dehors de la civilisation que les sauvages peuplades peintes par Cooper.
>
> Seulement les barbares dont nous parlons sont au milieu de nous ; nous pouvons les coudoyer en nous aventurant dans les repaires où ils vivent, où ils se rassemblent pour concerter le meurtre, le vol, pour se partager enfin les dépouilles de leurs victimes. Ces hommes ont des mœurs à eux, des femmes à eux, un langage à eux, langage mystérieux, rempli d'images dégoûtantes de sang.

Mais le romancier va découvrir en cours d'écriture de son feuilleton la question sociale[1]. Des phi-

1. Voir Anne-Marie Thiesse, « L'éducation sociale d'un romancier, le cas Eugène Sue », *Actes de la recherche en sciences sociales*, mars 1980.

lanthropes et des médecins s'inquiètent de la misère urbaine croissante et réfléchissent aux moyens d'y remédier. Des ouvriers instruits, regroupés en associations, rédigent des revendications et commencent à représenter positivement – dans des journaux, des poèmes, des chansons – le petit peuple des villes. Eugène Sue reçoit de nombreuses lettres de lecteurs qui tiennent à l'informer. L'écrivain, qui intègre des extraits de cette correspondance dans son roman, se met à présenter des personnages populaires attachants et tout une série de propositions pour remédier à la délinquance, à l'asile et à la prison, à commencer par une « Banque des pauvres » qui préfigure le microcrédit. En avril 1850, Eugène Sue est élu député républicain-socialiste de Paris. En juillet, un amendement à la loi sur la presse est voté : il taxe lourdement les journaux publiant des romans-feuilletons, suspects d'alimenter la sédition ouvrière.

Bien d'autres romanciers du XIXe siècle proposent, contre l'effroi suscité par la masse indistincte des classes dangereuses, une vision rapprochée du peuple laborieux. Ils créent des figures positives qui entraînent compassion et identification. Victor Hugo publie en 1862 un roman sous un titre à double sens : *Les Misérables*. Le roman sera un très durable succès littéraire, régulièrement lu en extraits dans les écoles de la IIIe République. La prostituée, le bagnard, l'enfant des rues y apparaissent comme des personnages touchants, empreints d'humanité. Avec Gavroche, gamin mal (pas du tout) élevé, mais généreux et héroïque, Hugo s'oppose à la vision dominante de l'enfance prolétaire, qui commence à la désigner comme fléau social. L'intérêt pour l'enfance qui naît au XIXe siècle distingue en effet une jeunesse populaire éducable, apte à participer à la vie sociale et économique, et une jeunesse précocement dévoyée, vicieuse, irrécupérable graine de bagnards. Les enfants de prolétaires, qu'aucun héritage ne fixe, et plus encore les orphelins, avivent toutes les inquiétudes. Nocivité du milieu urbain, déterminisme de l'hérédité : les débats sur l'enfance dangereuse/en danger mobilisent au XIXe siècle les « philanthropes ». Pour détourner les gamins des rues de la délinquance, les écarter de la voie qui conduit à l'échafaud, ils proposent des colonies agricoles qui doivent régénérer par le labeur, la discipline et les travaux des champs. Ultérieurement, l'État crée des institutions spécialisées. La question de l'enfance populaire amène la production de nombreuses figures, répulsives (le jeune dépravé Victor, dans *L'Argent* de Zola), émouvantes (le petit Rémi de *Sans Famille*, les frères orphelins du *Tour de la France*) ou héroïques (l'enfant Bara, petit martyr révolutionnaire célébré dans les manuels scolaires d'histoire).

« Prolétaires de tous les pays »

En 1848, année du « printemps des peuples », les revendications nationales et démocratiques explosent par toute l'Europe, rudement réprimées par les forces impériales russes et habsbourgeoises. C'est aussi l'année de publication du *Manifeste communiste*. Karl Marx et Friedrich Engels énoncent : « Les ouvriers n'ont pas de patrie. On ne peut leur ravir ce qu'ils n'ont pas. Comme le prolétariat de chaque pays doit en premier lieu conquérir le pouvoir politique, s'ériger en classe dirigeante de la nation, devenir lui-même la nation, il est encore par là national, quoique nullement au sens bourgeois du mot. »

Pour les fondateurs du marxisme, la nation est un stade de l'évolution politique et sociale que le capitalisme libéral est en train de dépasser et qui sera révolu avec l'émancipation complète des travailleurs. En 1864, l'Association internationale des travailleurs est créée à Londres. Mais, après la guerre de 1870 et la répression dont ont été victimes de nombreux militants français, la Ire Internationale, affaiblie par des scissions, se désagrège. C'est à Paris, en 1889, qu'est fondée l'Internationale ouvrière (appelée aussi IIe Internationale). Son hymne, à partir de 1904, est un poème écrit par le militant Eugène Pottier pendant la répression de la Commune de Paris et, mis en musique par Pierre Degeyter en 1888. *L'Internationale,* traduite dans toutes les langues, devient le chant des travailleurs et des mouvements révolutionnaires.

À partir de la fin du XIXe siècle, dans les pays industrialisés, le monde ouvrier obtient, notamment par la grève et l'organisation syndicale, une amélioration de sa condition (réglementation du travail, de la sécurité, des salaires ; début de construction de logements bon marché décents). De nouveaux partis politiques se présentent comme représentants des intérêts des travailleurs (SPD allemand, Section française de l'Internationale ouvrière-SFIO, Parti travailliste anglais, etc.). En 1910, la première loi française sur les retraites ouvrières et paysannes est votée, dont Jaurès se dit particulièrement fier. Elle marque l'implication croissante de l'État dans l'organisation de la solidarité nationale, trans-sociale et trans-générationnelle, qui se prolonge au XXe siècle par le système de sécurité sociale, d'allocations familiales, de soutien aux chômeurs, etc. Ces avancées passent par une entrée du mouvement ouvrier dans le jeu politique national et des alliances avec des forces politiques représentant d'autres groupes sociaux. Jaurès explique à maintes reprises cette conception de l'action politique ouvrière : « Donc, ou le prolétariat n'agira pas, ou il sera constamment mêlé à l'action d'autres classes ; l'essentiel c'est qu'à travers cette mêlée, ce tumulte des éléments, il agisse toujours avec sa conscience de classe, avec sa force distincte et organisée, et si, parti distinct, il étend sa surface de contact avec d'autres classes, moi je ne m'en plains pas. Nous voulons la révolution, mais nous ne voulons pas la haine éternelle[1]. »

La classe ouvrière, à la Belle Époque, est en cours d'intégration dans la nation. La perspective internationaliste dont se réclament les institutions membres de la IIe Internationale coexiste avec des sentiments patriotiques. Mais les internationalistes se heurtent aussi à des tendances nationalistes parmi les ouvriers. La main-d'œuvre étrangère, à une période où la réglementation du travail s'améliore à coups de conflits sociaux durs, est souvent assimilée à une concurrence indue pour les ouvriers français. Les étrangers passent souvent pour des briseurs de grèves et de salaires, alliés objectifs

1. Jean Jaurès, *Études socialistes*, Paris, *Les Cahiers de la Quinzaine*, 1901.

du patronat. Des slogans demandent que le travail français soit réservé aux Français. Les manifestations de xénophobie vont parfois jusqu'au lynchage : ainsi pour les ouvriers italiens massacrés dans les salines d'Aigues-Mortes en 1893. Dans les années 1900, pour contrer la marche vers la guerre poussée par les nationalismes idéologiques et les concurrences économiques, l'Internationale brandit la menace de la grève générale européenne. En vain. L'assassinat de Jean Jaurès précipite le ralliement de nombreux socialistes à l'Union sacrée. La IIIe Internationale, bolchevique, est fondée à Moscou en 1919. Au congrès de Tours, en 1920, la scission se fait entre socialistes restés fidèles à la IIe Internationale et les communistes, qui rejoignent la IIIe, passée sous contrôle de Staline en 1926. (Une IVe Internationale est fondée en 1938 par Trostky à Paris où il est alors en exil.)

Principe national/principe international : ils proposent des formes d'organisation sociale et politique apparemment antagonistes. D'un côté l'union trans-sociale sur base nationale ; de l'autre l'union trans-nationale sur base de classe sociale (« prolétaires de tous les pays, unissez-vous ! »). Ce partage semble avoir organisé les lignes de force géopolitique entre 1919 et 1991 : monde des nations contre monde communiste. La réalité est beaucoup plus complexe. L'effondrement du système communiste dans les pays où il contrôlait l'État a montré la force de revendications nationalistes qui n'avaient même pas été « congelées ». Dans les pays occidentaux, le sentiment d'appartenance à la nation et l'internationalisme ont été plus souvent en associations complexes qu'en simple clivage. L'internationalisme de solidarité avec les nations opprimées et l'admiration sans réserve de l'œuvre stalinienne ont été souvent conjuguées dans le parti communiste français avec le patriotisme, comme la période de l'Occupation l'a montré. En témoigne le célèbre poème d'Aragon de 1955 *Strophes pour se souvenir*, à la gloire du groupe Manouchian et des résistants de la MOI (Main-d'œuvre immigrée) que la propagande de la collaboration avait présentés comme ennemis de la France : *Ils étaient vingt et trois quand les fusils fleurirent/Vingt et trois qui donnaient le cœur avant le temps/Vingt et trois étrangers et nos frères pourtant/Vingt et trois amoureux de vivre à en mourir/Vingt et trois qui criaient la France en s'abattant.*

Du prolétaire au chômeur

Jusqu'au dernier quart du XXe siècle, les partis ouvriers et les syndicats ont tenu une place déterminante dans la vie française. Un dense réseau associatif et militant a structuré les classes populaires et contribué à l'élaboration de représentations positives du monde ouvrier, tant en interne que pour les autres milieux sociaux. Les mouvements gauchistes de la période 1968 ont poussé à l'extrême la vision messianique du prolétariat. La culture de masse – films, chansons – avait multiplié aussi les représentations du monde ouvrier. Des cinéastes comme Julien Duvivier ou Jean Renoir ont proposé des figures attachantes et pittoresques. L'ouvrier « à la Gabin », après le paysan bourru et sage, est entré dans la galerie des figures nationales.

Longtemps, l'opposition entre le bourgeois et l'ouvrier a été symbolisée par des codes vestimentaires. Le bourgeois portait costume et chapeau, l'ouvrier, veste courte et casquette. La casquette ouvrière s'est maintenue jusque dans les années 1970. La chanson de Michel Sardou *Les Bals populaires* y fait encore allusion : *Dans les bals populaires,/L'ouvrier parisien,/La casquette en arrière,/Tourne tourne tourne bien.*

Le couvre-chef, bourgeois et prolétaire, est passé de mode pour les adultes à la fin du XXe siècle. La casquette n'a refait son apparition que dans la jeune génération populaire, par imitation de modèles identitaires américains. Quant au béret basque, associé au port de la baguette sous le bras, il fait office de stéréotype du Français populaire, sans doute à partir de représentations anglo-saxonnes. Mais il n'existe plus guère que dans les caricatures.

La fin du XXe siècle est marquée par la déstructuration du monde ouvrier, dans la réalité et dans ses représentations. Les accords de Grenelle, en mai 1968, dans le cadre de la grève généralisée, avaient prévu des améliorations considérables des conditions de travail des ouvriers (augmentation de 25 % du SMIC, légalisation des syndicats d'entreprise et protection de leurs représentants, etc.). Dans les décennies suivantes, la production a été réorganisée. Beaucoup d'usines ont été délocalisées vers des pays où la main-d'œuvre est moins coûteuse, où la protection du travail et de l'environnement est nettement moins réglementée. La sous-traitance en cascade et le développement de l'emploi intérimaire limitent fortement les possibilités d'action collective et l'expression d'une identité commune aux travailleurs. Le déclin brutal dans les années 1980 de la référence marxiste – et de toutes les formes d'idéalisation du prolétariat par les intellectuels et les artistes – a précédé l'effondrement des régimes communistes. La figure glorieuse du travailleur a fait place à celle du chômeur, de l'assisté, du déglingué, surabondamment représentée aujourd'hui dans la culture de masse, les médias ou les discours politiques.

Le monde ouvrier, pendant plus d'un siècle, avait suscité la crainte des possédants ; il est désormais représenté comme victime faible et en dérive, auquel le pouvoir offre sa compassion. La fierté ouvrière, construite peu à peu depuis le XIXe siècle, s'est délitée. La valorisation de l'appartenance nationale fait office de compensation pour une partie du monde ouvrier. L'ancien effroi méprisant pour les classes populaires s'est reporté sur les populations issues de l'immigration non européenne, et principalement leurs composantes les plus jeunes, qui forment les nouveaux « barbares » de nos cités désindustrialisées.

Reconfigurations religieuses

Le rapport au religieux a lui aussi profondément changé à la fin du XXe siècle. La pratique de la religion catholique a connu dans les dernières décennies un important déclin, qui donne une visibilité accrue aux autres religions.

L'avènement de la nation moderne correspondait à l'entrée dans un processus de sécularisation. La monarchie française était de droit divin, ce que marquait notamment le sacre royal. La nation, elle, ne se légitime que d'elle-même. La religion à l'ère nationale n'étant plus un fondement du politique, sa pratique devient un droit individuel garanti par le politique. L'article 10 de la Déclaration des droits de l'homme et du citoyen l'expose clairement : « Nul ne doit être inquiété pour ses opinions, même religieuses. » En avril 1790, la religion catholique cesse d'être religion d'État en France. Du coup les protestants, puis les juifs, peuvent jouir des droits de la citoyenneté. La formation de beaucoup de nations européennes n'a d'ailleurs été possible que par ce transfert de l'appartenance religieuse du politique au privé. L'unification de la nation allemande s'est faite par le rassemblement d'États dissociés entre catholiques et protestants. L'antisémitisme nazi (et son application en France) se fondait sur un argumentaire non pas religieux mais raciste : les juifs furent persécutés sur la base de critères « raciaux », incluant les convertis à d'autres religions ou les individus sans pratique religieuse.

Que la nation soit le fruit d'un processus de sécularisation ne veut pas dire que le religieux ait cessé de marquer profondément les sociétés européennes. L'influence de la religion majoritaire s'exerce sur les institutions et les juridictions nationales. La législation française a porté longtemps l'empreinte du catholicisme, notamment en matière de contraception, divorce ou avortement. Mais le culte de la nation a joué à bien des égards le rôle de religion séculière moderne. Il a repris les formes antérieures de la célébration religieuse : croyance en la nation, fidélité jurée jusqu'au martyre. La célébration des grands hommes imite le culte des saints, avec sa statuaire, ses reliques, ses lieux de pèlerinage. Les commémorations, les fêtes et les hymnes nationaux s'inspirent de la production culturelle et iconographique d'origine religieuse. La figure de Marianne n'est pas sans analogies avec le culte marial qu'elle devait initialement supplanter. « La nation, c'est une émotion partagée », s'exclamèrent des journalistes après la victoire française à la Coupe du monde de football en 1998, lui attribuant une fonction de communion collective.

Les Églises, surtout la catholique, ont initialement combattu le principe national, avant de s'y rallier progressivement. La conséquence a été une « nationalisation » de ces Églises, très manifeste dans les conflits militaires du XXe siècle. Dieu a été mobilisé de chaque côté des champs de bataille durant la

Première Guerre mondiale, même quand les soldats s'entretuant partageaient la même religion.

Conclu en 1801 entre le pouvoir bonapartiste et le pape, le Concordat visait à pacifier après la Révolution les rapports entre État et Église catholique. Il reconnaissait l'importance de l'Église, tout en maintenant une grande autonomie du politique. Ce type de régime concordataire, fréquent en Europe, a été aboli en France par la loi du 9 décembre 1905 qui institue la séparation des Églises et de l'État et fixe un système de non-ingérence réciproque. Désormais la République « ne reconnaît, ne salarie, ni ne subventionne aucun culte ». La suppression du service public des cultes par le principe de laïcité ne veut pas dire que le religieux soit banni de l'espace public : la limite est le respect de l'ordre public et la neutralité des agents de l'État. La loi de 1905 n'a en fait pas été mise en application sur l'ensemble du territoire français. L'Alsace-Moselle, qui faisait partie du Reich allemand en 1905, a obtenu après la Première Guerre mondiale le maintien du concordat de 1801 : encore aujourd'hui, les ministres des Cultes y sont rémunérés par l'État et l'école publique dispense des cours d'instruction religieuse – catholique, luthérienne, réformée ou israélite. Le principe de laïcité n'a pas été non plus appliqué aux populations indigènes des colonies. La séparation de l'Église et de l'État a bien été introduite en Algérie en 1907, mais seulement pour les religions catholique, protestante et juive.

La laïcité n'a pas empêché la poursuite de liens privilégiés entre l'État et l'Église catholique. Les fêtes nationales chômées (14 juillet, 11 novembre, 1er et 8 mai) sont moins nombreuses que les fêtes catholiques (Noël, Pâques et son lundi, Ascension, Pentecôte, 15 août, Toussaint). Jusqu'aux années 1970, les célébrations religieuses (messes dominicales, baptêmes, communions, mariages, enterrements, liturgie de l'Avent ou du Carême) ont participé aux rythmes sociaux de la nation. Les cantines des écoles publiques ne servaient pas de viande le vendredi. La République s'est montré tolérante avec les signes d'appartenance religieuse : les prêtres en soutane, les moines en robe de bure, les religieuses voilées et en longs habits noirs ont longtemps fait partie de la foule urbaine. Comme le rappellent quantité de caricatures d'époque, anticléricaux et galopins s'amusaient à crier au passage des hommes en robe noire : « croa-croa ! » ou « à bas la calotte ! ». Des députés radicaux-socialistes demandèrent d'ailleurs à l'occasion des débats sur la loi de 1905 l'interdiction de l'habit ecclésiastique en dehors des édifices religieux, au motif que son port pouvait troubler l'ordre public. L'interdiction n'a pas été prononcée, par souci de ne pas heurter une population majoritairement catholique et républicaine. La disparition des vêtements ecclésiastiques dans l'espace public est venue plutôt du clergé lui-même, à partir des années 1960, dans la lignée de Vatican II (qui a aussi remplacé le latin par la langue nationale pour les offices religieux). Les religieuses en cornettes et leur conduite très sportive des 2 CV Citroën égayèrent la série filmique des *Gendarmes de Saint-Tropez* qui, sous la conduite de Louis de Funès, traquaient les premiers seins nus sur les plages. Aujourd'hui, on ne voit plus guère de membres du clergé catholique en habits dans les rues. Leur mémoire même s'est effacée, comme l'attestent les « films d'époque » tournés actuellement, où le clergé est presque inexistant, même sous forme de figurants.

Les effectifs du clergé catholique ont fortement diminué à la fin du XXe siècle : il y avait 40 000 prêtres en 1965 et seulement 15 000 en 2007, majoritairement âgés de plus de soixante-cinq ans. La pratique religieuse de la population catholique a décru de manière impressionnante : à peine 5 % des Français assistent chaque semaine à une messe dominicale. Cet effondrement de la religion longtemps dominante contraste avec la plus grande vitalité d'autres religions dites « minoritaires », comme le protestantisme évangélique, le judaïsme et l'islam. Cette disparité explique en partie la sensibilité nouvelle aux signes d'appartenance religieuse. Les années 1980-2000 furent un bref intermède où les pratiques religieuses furent si discrètes, en comparaison des périodes antérieures, qu'on a pu confondre laïcité et absence du religieux dans l'espace public.

VIII

Citoyen(ne)s

« La femme est donnée à l'homme pour qu'elle lui fasse des enfants. Elle est donc sa propriété comme l'arbre fruitier est celle du jardinier. »

Napoléon Bonaparte

« Les hommes naissent et demeurent libres et égaux en droits » : il a fallu près de deux siècles, et cinq Républiques, pour que ce principe universel soit appliqué aux femmes. La domination masculine étant elle aussi un fait universel, mais de toute ancienneté, sa neutralisation, même sur le plan de la loi, n'avait, il est vrai, rien d'évident. La situation actuelle de relative égalité est le fruit d'un combat féministe mené dans l'arène politique et les représentations culturelles, mais aussi de changements radicaux dans les modes de vie et de production économique. Des valeurs qui furent longtemps attachées à la virilité sont désormais déclassées – non sans problème pour une partie de la population.

LE DEUXIÈME SEXE

La poussée révolutionnaire avait permis l'introduction du divorce, même sur consentement mutuel, en dissociant le mariage du sacrement religieux. Le divorce a été à nouveau interdit en 1816. En 1884 seulement, le député Naquet parvient à faire passer une loi autorisant le divorce en cas de faute grave et avérée d'un des conjoints. La droite nationaliste la dénonce comme offense à la religion, à l'ordre social et à la nation et la rapporte aux origines juives de Naquet.

Bonaparte, comme nombre de ses contemporains, considérait la femme comme la possession d'un époux auquel elle devait obéissance. Le Code civil promulgué par Napoléon en 1804 consacre l'impuissance civile de la femme après le mariage (qui représente son seul destin, hormis le couvent). L'épouse ne peut pas témoigner en justice ni administrer ses biens hérités sans le consentement de son mari. Elle doit lui demander une autorisation pour exercer une profession et il dispose du salaire de sa femme.

Jusqu'en 1927, la femme française qui épouse un étranger perd sa nationalité et doit prendre celle de son époux (la règle qui définit la nationalité de la femme par celle de son époux est appliquée dans la plupart des pays européens). Dans son roman autobiographique *Les Ritals,* François Cavanna raconte comment sa mère, Française de naissance mariée à un Italien, découvre avec stupeur qu'elle risque d'être expulsée vers un pays où elle n'est jamais allée. En 1810, le Code pénal a fait de l'adultère un délit : surtout pour les femmes. L'épouse prise en faute est passible de réclusion. Mais l'adultère du mari n'est sanctionné – par une amende – que s'il est pratiqué au domicile familial, de manière répétée. Autant dire que les hommes peuvent entretenir des relations extraconjugales, éventuellement plusieurs familles, sans aucune condamnation tant qu'ils n'installent pas une concubine sous le même toit que leur épouse. Jusqu'à une date récente, l'entrée de l'enfant adultérin dans une lignée familiale et un héritage a été une hantise sociale : les aventures maternelles seules paraissaient dangereuses puisque les hommes avaient tout loisir de ne pas reconnaître les enfants conçus en dehors des liens du mariage. La question de l'honneur (des hommes) par contrôle de la vertu (des femmes) est alors primordiale. Le mari qui supprime la femme « fautive » bénéficie souvent d'une large indulgence. Durant deux siècles, des femmes qui n'admettent pas les discriminations sociales ni les violences conjugales revendiquent une amélioration du sort du « sexe faible ». Mais l'entrée du prolétariat masculin dans la communauté des citoyens, si conflictuelle qu'elle ait été, s'est avérée plus aisée que celle des femmes. Il a fallu des décennies de scolarisation féminine, le développement du salariat et du commerce, les charges assumées par les femmes pendant les guerres, la démocratisation progressive de la société pour que la République prenne en considération les revendications d'égalité entre hommes et femmes. Le chemin a été jalonné de réformes toujours contestées : droit pour une femme de disposer de son salaire (1907), obtention d'un passeport sans autorisation conjugale (1937), possibilité de gérer ses biens propres (1942 : beaucoup de conjoints étaient prisonniers !), droit de voter et d'être élue (1944), droit d'exercer un métier et d'ouvrir un compte en banque sans autorisation du conjoint (1965). Dans la décennie suivante, le Code civil a été révisé pour devenir conforme au principe d'égalité entre hommes et femmes inscrit dans la Constitution depuis 1944. L'autorité paternelle est devenue autorité parentale, la première grande réforme du divorce en 1975 a assoupli considérablement les conditions de séparation des couples. Par l'introduction de la pilule contraceptive (1967) puis de l'avortement (1975), les femmes ont accédé à la maîtrise de leur fécondité. Ce sont aujourd'hui les inégalités dans la vie professionnelle et l'accession aux positions de pouvoir qui paraissent choquantes. Il avait longtemps paru normal que le salaire des femmes soit inférieur à celui des hommes : en 1920 seulement les institutrices reçurent le même traitement que les instituteurs. Depuis 1971, la loi prescrit l'égalité des salaires, à travail égal, entre hommes et femmes : le principe est contourné dans la pratique par une évaluation des activités et des performances au détriment des femmes. Depuis le début du XXIe siècle, la loi prescrit la parité entre hommes et femmes pour la représentation politique : là encore son application est régulièrement esquivée (avec moins de 20 % de femmes parmi les députés, la France est au 65e rang mondial de ce point de vue). Mais la persistance de ces discriminations ne doit pas faire oublier l'importance des évolutions récentes. Cela fait seulement une à deux générations que les principes républicains de la liberté et de l'égalité juridique ont été pleinement appliqués aux femmes.

DÉCENCE ET ORDRE PUBLIC

Depuis peu s'est établie une relative indifférenciation des comportements masculins et féminins, en matière de métiers, de loisirs, de comportements sexuels. Mais la vie sociale et familiale a longtemps été régie par des codes précis, distinguant fortement les deux sexes. L'expression la plus immédiate de cette différence concernait les vêtements. George Sand, qui souhaitait porter le pantalon, le jugeant plus économique que les robes des femmes de son milieu, dut en faire la demande auprès des autorités. Une ordonnance du 17 novembre 1799, jamais abolie, indique en effet que « toute femme désirant s'habiller en homme doit se présenter à la préfecture de police pour en obtenir l'autorisation ». Le port du pantalon, assimilé à un travestissement, n'est autorisé, par des circulaires de 1892 et 1909, que si la femme tient des rênes de cheval ou un guidon. Excepté dans le cadre de pratiques sportives spécifiques comme le ski, le port du pantalon a longtemps fait « mauvais genre ». Coco Chanel en a lancé la mode : mais elle appartenait au monde des « irrégulières », femmes entretenues qui pouvaient se permettre des audaces interdites aux épouses de bonnes mœurs. Dans les lycées publics de jeunes filles, jusqu'en 1968, le port du pantalon était interdit aux élèves en dehors des cours de sport. Grâce aux barricades de mai, les adolescentes eurent moins froid aux jambes l'hiver et purent se rendre au lycée en deux-roues en évitant les inconvénients de la jupe. À partir des années 1970, le port du pantalon s'est banalisé parmi les femmes adultes, non sans réticences initiales : certain(e)s jugeaient que le pantalon, soulignant les formes féminines, provoquait indûment les désirs masculins. Des employeurs voulaient imposer le port de la jupe à leur personnel féminin au nom de la décence et de l'élégance. La chevelure féminine a fait aussi l'objet de nombreuses prescriptions. Jusqu'aux années 1920, les femmes assez fortunées pour faire appel à un coiffeur lui demandaient de compliqués arrangements de cheveux longs. Seules les religieuses coupaient leurs cheveux, en signe d'une renonciation à la vie sexuelle, avant la « prise de voile » qui marquait l'entrée dans la vie monastique. La coiffe religieuse masquait soigneusement tout ce qui restait de cheveux. Pour les autres femmes, la chevelure déployée, chargée d'une forte valeur érotique, était réservée à l'intimité conjugale (ou extraconjugale !). Dans l'espace public, les femmes devaient domestiquer leur chevelure par des peignes et des épingles, et la couvrir en fonction de leur appartenance sociale. La « femme en cheveux » était réputée « femme de peu », ouvrière démunie ou prostituée de bas étage. Les paysannes portaient des coiffes ou des fichus, les bourgeoises des chapeaux plus ou moins élaborés selon leur fortune. Nulle femme ne pouvait entrer dans une église sans avoir la tête couverte. Après la Première Guerre mondiale, l'émancipation féminine a été associée au raccourcissement des cheveux, l'extrême étant la « garçonne » qui multipliait les emprunts au masculin (pantalon, canotier, cravate, cigarette, etc.). Dans les années 1960-1970, la jeunesse masculine, à l'inverse, a revendiqué les cheveux longs comme contestation de l'ordre social.

Depuis les années 1970, les prescriptions vestimentaires liées à une profession (uniformes), un statut social, religieux ou familial (veuvage, deuil) ont été grandement simplifiées. La principale injonction est désormais de tonifier le corps, pour lui garder une allure juvénile et attractive, en accord avec la nouvelle liberté sexuelle et la société de consommation. C'est en référence à cette période récente, qui contraste avec les déterminismes antérieurs, que le retour de pratiques identitaires en matière de comportements et de tenues paraît choquant.

Le jour de gloire

La classe d'âge née en 1979 est la première à être entrée dans l'âge adulte sans devoir passer par le service militaire. L'abolition d'une institution à la fois fortement liée à la nation et distinguant radicalement les sexes est caractéristique des évolutions sociales contemporaines.

La monarchie confiait la défense de son territoire et le soin de ses conquêtes à des armées professionnelles coûteuses (complétées au XVIIIe siècle par des milices provinciales constituées par tirage au sort). Avec la proclamation de la nation, la France devient ce bien commun, que tous les héritiers indivis doivent défendre. Les armées révolutionnaires ont été d'abord formées de volontaires ; un des chants composés à cette occasion, qui a fini par s'intituler *La Marseillaise*, est devenu hymne national sous la IIIe République. En 1793, la Convention décrète la levée en masse, qui déclenche en réaction l'insurrection vendéenne. La poursuite de la guerre réclame des apports de troupes abondants. En 1798, la loi Jourdan institue le service militaire. Elle énonce : « Tout Français est soldat et se doit à la défense de la patrie. » Sont concernés, *a priori*, tous les hommes de vingt à vingt-cinq ans. Mais beaucoup sont réformés pour malformation physique ou taille insuffisante (la barre est initialement fixée à 1,54 mètre !). Et tous les « bons pour le service » ne partent pas sous les drapeaux. Une loi de 1802 instaure le remplacement : l'appelé peut payer un homme qui partira à sa place. De 1804 à 1905, le tirage au sort sélectionne une partie de la classe d'âge, en fonction des besoins. Ceux qui ont tiré un « mauvais numéro » sont tenus de partir, sauf s'ils peuvent acheter un remplaçant. Les plus pauvres, parce qu'ils ne peuvent payer un homme ou parce qu'ils partent comme remplaçants, sont sur-représentés dans ce service militaire dont la durée, à certaines périodes, est très longue (sept ans). Le remplacement est supprimé en 1872, le tirage au sort en 1905. À cette date, le service militaire est généralisé et fixé à deux ans, des sursis étant prévus pour les étudiants.

Le service militaire a été crédité d'une fonction de cohésion nationale, en rapprochant des jeunes gens d'origine sociale différentes. C'est surtout la Première Guerre mondiale qui a tragiquement mêlé dans l'horreur des tranchées les jeunes officiers d'origine sociale élevée et les simples soldats. Le service militaire a néanmoins participé à la prise de conscience nationale de la jeunesse masculine : les conscrits ont voyagé, ils ont appris à connaître des concitoyens d'autres régions, les paysans ont découvert le monde urbain, de nouvelles compétences techniques ont été diffusées. Le comique troupier et les innombrables histoires sur les copains de régiment ont illustré ce rite de passage collectif des jeunes hommes. En 1997, le service militaire, devenu « service national » en 1965, a été aboli. Dans le cadre de la construction européenne, et après la fin de la guerre froide, l'attaque du territoire national par des troupes étrangères est devenue peu probable. Les opérations militaires ont lieu dans le cadre d'alliances internationales, sur des théâtres d'opération lointains. La conscription a paru trop coûteuse et encombrante pour une armée se voulant de plus en plus technique.

Surtout, le rapport à la guerre et à l'armée a profondément changé dans les dernières décennies du XXe siècle. Le pacifisme, né dans les tranchées de la Première Guerre mondiale, a été impuissant à enrayer la Seconde. Mais depuis cette nouvelle boucherie et des guerres de libération coloniale souvent vécues comme un traumatisme par le contingent, la société française, comme la plupart des sociétés européennes, tient la paix pour valeur suprême. C'est un changement radical par rapport à l'époque, pas si lointaine, où la gloire des armes et l'héroïsme guerrier faisaient vibrer les populations et rêver d'exploits les jeunes garçons. Les opérations militaires se présentent maintenant comme « maintien de la paix ».

Les sociétés occidentales actuelles rejettent d'ailleurs non seulement la guerre mais la violence sous toutes ses formes. Du coup, les affrontements entre jeunes gens paraissent intolérables et sont dénoncés comme signes inquiétants de décadence sociale. La monarchie française absolutiste s'était évertuée à interdire le duel et le règlement des affaires d'honneur dans le sang, sans y parvenir vraiment. La pratique a perduré au XIXe siècle (le dernier duel officiel eut lieu en 1967 entre Gaston Deferre, futur ministre de l'Intérieur, et un autre député, blessé au terme d'un combat de quatre minutes). Les agressions moins codifiées entre groupes de jeunes ont été socialement tolérées jusqu'à une date récente. Les sorties de bal du samedi soir finirent longtemps en batailles opposant des groupes rivaux : quartiers ou villages voisins, protestants et catholiques, « gars des usines » et paysans. Des générations de lecteurs se sont délectées avec les exploits de mousquetaires qui tiraient l'épée plus vite que leur ombre, ou les homériques batailles de *La Guerre des boutons*.

Les seuls assauts désormais tolérés passent par le sport. Le discours médiatique sur les championnats ou les envolées des supporters adoptent généralement un vocabulaire et une rhétorique qui furent ceux de la guerre. Dans ces conflits à durée déterminée, régulés, et à forts enjeux économiques, l'adversaire tient lieu d'ennemi, son drapeau et son hymne sont copieusement conspués. Un échec de l'équipe française en Coupe du monde est traité comme défaite nationale appelant l'intervention énergique des autorités de l'État. Mais la violence n'est tolérée dans ces guerres de substitution que marginalement : le dépassement d'un certain seuil d'affrontement physique – entre supporters plutôt qu'entre compétiteurs – est traité comme délinquance.

La condamnation systématique de la violence physique – et même, depuis peu, de la violence psychologique – constitue l'une des principales évolutions récentes des sociétés occidentales. En contraste avec les deux derniers siècles, où les morts par faits de guerre se comptèrent par millions, où les villes furent dévastées par les bombardements, où l'insécurité au travail tua et blessa d'innombrables travailleurs, où les insurrections et leurs répressions furent d'une grande brutalité, la période actuelle est un heureux temps de quiétude. La mort violente ou les blessures graves, aujourd'hui, résultent plus souvent du comportement irresponsable des conducteurs de véhicules que d'agressions délibérées. Ce changement radical par rapport aux conceptions qui avaient prévalu pendant des millénaires explique le paradoxe actuel : la hantise de l'insécurité grandissante est largement répandue alors même que la violence physique volontaire n'a jamais été si faible.

IX

Scènes et doctrines du nationalisme

« Nous ne tenons pas nos idées et nos raisonnements de la nationalité que nous adoptons, et quand je me ferais naturaliser Chinois en me conformant scrupuleusement aux prescriptions de la légalité chinoise, je ne cesserais pas d'élaborer des idées françaises et de les associer en Français. Parce que son père et la série de ses ancêtres sont des Vénitiens, Émile Zola pense tout naturellement en Vénitien déraciné. »

Maurice Barrès, *Le Journal,* 1er février 1898,
Scènes et doctrines du nationalisme, 1902.

En anglais, le terme *nationalism* désigne toutes sortes d'attachement à la nation. Cela va des plus banales (l'affection pour son pays, sa cuisine, ses paysages, ses monuments) aux formes extrêmes, qui mesurent toutes actions non à l'aune du droit ou de la morale mais à celle de la puissance nationale. En français, le terme « nationalisme » s'applique surtout à un mouvement idéologique, apparu à la fin du XIXe siècle, qui dénonce le déclin de la nation : il en impute la cause à l'action hostile de populations étrangères et à l'oubli par les Français de leurs devoirs envers la patrie. Le nationalisme ne se limite pas au chauvinisme. Le soldat Chauvin, grognard réel ou fictionnel des troupes napoléoniennes, a donné son nom à la conviction systématique et assez obtuse de la supériorité de sa nation sur les autres. Le nationalisme insiste surtout sur les risques de décadence et de destruction auxquels la nation – toute exceptionnelle qu'elle soit – est exposée. Le nationalisme n'est pas non plus synonyme de patriotisme. Nation et patrie furent, après la Révolution, des termes très proches : « Allons enfants de la Patrie », comme le clame *La Marseillaise,* est un appel aux partisans de la nation contre les « tyrans », à savoir les forces d'Ancien Régime. La référence à la nation a été pendant tout le XIXe siècle associée aux idées de progrès, de modernisation, de régime républicain, et souvent de démocratie ; elle a été longtemps et énergiquement combattue par l'Église et les monarchistes. Mais, à partir de la fin du XIXe siècle, les conflits ne se font plus pour ou contre la nation. Tous les mouvements politiques se réfèrent à la nation : c'est sa définition qui est au cœur des conflits. À partir du moment où le nationalisme se banalise comme auto-désignation des conservateurs ou des réactionnaires, le camp adverse va plutôt se réclamer du patriotisme. Mais ces appellations, évidemment, ne sont pas des marques déposées ! En fait, les camps opposés s'affrontent en revendiquant tous comme leur propriété ces dénominations qui ont une grande valeur de mobilisation dans la population. La période de l'Occupation l'a montré de manière exemplaire : les miliciens de Vichy et les combattants de la Résistance s'affrontaient au nom de la « vraie France » et du « vrai patriotisme ».

Métèques et juifs errants

Dans la Grèce antique, un métèque était un commerçant ou artisan installé dans une cité dont il n'était pas originaire. Homme libre, il participait aux commémorations de sa cité de résidence, comme les Panathénées, mais il n'en avait pas la citoyenneté. Le terme de métèque a été repris à la fin du XIXe siècle par Charles Maurras qui lui a donné une signification très péjorative. Poète, journaliste et politicien, Maurras est avec Maurice Barrès un des principaux théoriciens du nationalisme français. Le camp monarchiste, dont il se réclame, ne se définit plus par l'hostilité à la nation substituée à l'Ancien Régime : il propose désormais un idéal de la nation ancré dans la longue durée monarchique, qui serait entrée en décadence… depuis la Révolution. L'intégration de la paysannerie et du peuple ouvrier dans la nation est déjà bien avancée à la fin du XIXe siècle. Du coup, la population dangereuse et menaçante prend une nouvelle figure : celle de l'étranger. En 1893, l'écrivain Maurice Barrès est élu député de Nancy. Son programme impute aux étrangers les maux dont souffrent les citoyens français.

Le nationalisme de la fin du XIXe siècle associe souvent xénophobie et antisémitisme. Édouard Drumont dans son pamphlet de 1886, *La France juive*, a formulé ce thème avec grand succès. L'antisémitisme de la IIIe République ne peut pas se fonder sur un argumentaire purement religieux en raison du processus de sécularisation de l'État. Il reprend les vieux stéréotypes appliqués aux juifs mais il les rapporte à des particularités raciales et culturelles, dans le cadre d'une théorie du complot. Drumont dénonce les périls que fait peser sur la nation l'invasion et l'infiltration par les juifs, nécessairement ennemis puisque fondamentalement inassimilables. Il déclare aux Français qu'ils ne sont déjà plus maîtres chez eux : les juifs contrôlent les entreprises, les finances, l'État, la presse tout en étant agitateurs révolutionnaires. Selon

Drumont, la révolution de 1789 a été la première victoire des juifs contre la France. Ils se sont alliés ensuite aux francs-maçons et aux protestants pour asseoir leur emprise. En 1892, Drumont crée le quotidien *La Libre Parole* dont la ligne directrice est de dénoncer systématiquement dans l'actualité les forfaits des juifs. L'adjectif « raciste », nouvellement apparu, est revendiqué par les collaborateurs du journal qui veulent faire entendre une « voix vraiment française[1] ». Le nationalisme antisémite associe la dénonciation de l'internationalisme révolutionnaire (le juif comme apatride voulant abolir l'ordre et la propriété) et la dénonciation du capitalisme (le juif comme ploutocrate exploiteur d'ouvriers). Il peut donc se propager dans des camps apparemment opposés. Le journal *La Croix*, fondé en 1883 par la congrégation des assomptionnistes pour maintenir l'influence catholique dans le public populaire, affiche longuement son antisémitisme. Dans le mouvement ouvrier du XIXe siècle, les imprécations contre les juifs spéculateurs sont fréquentes.

Les fondements du nationalisme associant juif, étranger et complot international contre la France sont posés dès la fin du XIXe siècle. Ils seront inlassablement repris dans les décennies suivantes. Lucien

1. Voir Gérard Noiriel, *Immigration, antisémitisme et racisme en France (XIXe-XXe siècle), discours publics, humiliations privées*, Paris, Fayard, 2007.

Rebatet, critique musical, est journaliste à *L'Action française* (le journal dirigé par Maurras) avant de travailler dans la presse et la radio de la Collaboration. Il étale ce vomi discursif en 1942 dans un pamphlet qui explique le Front populaire et la défaite de 1940 par l'invasion juive :

> Accouru du fond des ghettos d'Orient à l'annonce de la victoire raciale, le juif pullulait, dans son état originel de crasse et d'outrecuidance le plus propre à écœurer un Français de vrai sang. Les origines métèques du fléau qui nous frappait étaient éclatantes sous nos yeux. La faucille et le marteau ne se cachaient pas d'être l'insigne de la révolution mondiale. Les trois flèches socialistes venaient en droite ligne du « Rote Front » d'Allemagne, apportées dans la pacotille des youtres émigrés, avec la fameuse formule « Pain, paix, liberté » qu'il n'y avait eu qu'à traduire, avec le hideux poing fermé enfin[1].

L'Affaire Dreyfus a eu lieu dans le contexte de ce nationalisme qui fait du juif à la fois un fléau apatride (le « déraciné » intégral) et l'agent infiltré de l'« ennemi héréditaire » allemand. En 1902, Barrès publie *Scènes et doctrines du nationalisme,* qui rassemble ses interventions lors de l'Affaire, et notamment cette déclaration : « Que Dreyfus est capable de trahir, je le conclus de

1. Lucien Rebatet, *Les Décombres,* Paris, Denoël, 1942.

sa race. [...] Quant à ceux qui disent que Dreyfus n'est pas un traître, le tout, c'est de s'entendre. Soit ! ils ont raison : Dreyfus n'appartient pas à notre nation et dès lors comment la trahirait-il ? Les juifs sont de la patrie où ils trouvent leur plus grand intérêt[1]. »

Le thème de la nation attaquée en son âme, en son essence (le terme d'identité n'est pas encore en usage) par des individus simulant l'intégration et en relation avec une puissance ennemie étrangère est donc constitué dès le tournant du XIXe au XXe siècle. Les nationalistes estiment que le sentiment national n'est pas affaire d'éducation, de socialisation ou de volonté, mais de filiation. On est comme l'on naît. Selon Barrès, l'homme est toujours déterminé par « sa terre et ses morts ». L'étranger qui se fait naturaliser, quoi qu'il veuille et fasse, est toujours défini par ses origines. Seuls, éventuellement, ses petits-fils, s'ils ont pris racine, pourront être français « autrement que par une fiction légale ». Il ajoute : « Des Français trop récents ont ces dernières années beaucoup troublé la conscience nationale. On épurerait celle-ci par une loi prudente sur les naturalisations[2]. »

---

1. Maurice Barrès, « À Rennes », *Scènes et doctrines du nationalisme*, *op. cit.*
2. *Ibid.*

L'argumentaire antisémite et xénophobe occupe sous la IIIe République une place importante sur la scène publique et médiatique, profitant de ce que ses adversaires, pour le réfuter, sont contraints d'en faire état. L'idée qu'il existe bel et bien une « question juive » se naturalise dans les années 1930. L'évidence par la force du martelage... L'effondrement de la République après la défaite de 1940 permet la mise en œuvre d'un antisémitisme d'État.

Pourtant, à l'époque où se déchaîne la dénonciation des étrangers vivant sur le territoire français, leur intégration dans la nation devient un phénomène de masse.

Droit du sol

À la fin du XVIIIe siècle, la France a engagé une révolution démographique. La restriction volontaire des naissances au sein des couples, qui témoigne de changements dans les mentalités et dans le rapport au temps, a commencé en France beaucoup plus tôt qu'ailleurs. Alors que des millions d'Européens émigrent vers les Amériques ou d'autres continents, la France du XIXe siècle n'a pas d'excédent de population à exporter. Elle est même en déficit de main-d'œuvre pour sa modernisation industrielle. Dès les années 1880, elle est donc un pays à forte immigration, le premier en Europe. En 1886, la population étrangère dépasse 1 million de personnes, soit 3 % de la population totale. Les étrangers viennent alors surtout de pays voisins : Belgique, Italie, Espagne, Allemagne et Suisse. La situation conduit à une révision importante de la définition de la nationalité en 1889. Le Code civil avait défini la qualité de Français par la filiation (droit du sang). Dans les années 1880, les fils d'étrangers nés en France semblaient jouir d'un statut plus intéressant que celui des jeunes Français. Les fonctions sociales de l'État étant encore limitées, les avantages de la citoyenneté (essentiellement le droit de vote) étaient faibles ; en revanche, les jeunes étrangers échappaient à la conscription et entraient donc plus tôt que les Français sur le marché de l'emploi et du mariage. Dans un climat de paix armée face à l'Allemagne, les autorités s'inquiétaient aussi de la faiblesse des contingents mobilisables face à ceux de l'ennemi potentiel. La loi du 26 juin 1889 fabrique donc massivement des Français à partir de la population étrangère résidente. C'est l'instauration du droit du sol (*jus soli*), qui s'ajoute au droit du sang (*jus sanguinis*) pour définir l'appartenance à la nation. Les enfants nés en France d'étrangers nés en d'autres pays deviennent français à leur majorité s'ils résident encore en France ; s'ils veulent garder leur nationalité étrangère, ils disposent d'un délai d'un an pour répudier la nationalité française. En outre, les enfants nés en France de parents étrangers eux-mêmes nés en France sont déclarés Français dès leur naissance (« double droit du sol »). Du coup, la distinction entre Français et étrangers est renforcée. Le statut d'étranger résident devient inférieur par rapport à celui du Français : obligation de recensement, exclusion de certaines professions publiques, de la représentation syndicale. En raison des besoins croissants de main-d'œuvre, le nombre d'étrangers continue à augmenter (1 160 000 en 1911). La saignée de la Première Guerre mondiale dans les jeunes générations relance l'angoisse de la faiblesse démographique de la France. Une politique nataliste réprimant toute forme de contraception commence en 1920. Le recours à la main-d'œuvre étrangère est relancé, notamment par des accords officiels signés avec l'Italie, la Tchécoslovaquie et la Pologne. Les naturalisations sont nombreuses tandis que le taux d'étrangers devient supérieur à celui des États-Unis (2 700 000 en 1931, soit 6,58 % de la population).

Avec la crise économique des années 1930, des retours forcés d'immigrés sont organisés : 140 000

Polonais sont renvoyés chez eux. La xénophobie et l'hostilité envers la concurrence étrangère ne concernent pas seulement les ouvriers, mais aussi les professions libérales. Des lois de 1933 et 1934 interdisent, ou limitent fortement, les métiers de médecin et d'avocat aux étrangers et naturalisés récents. Les étrangers chômeurs sont souvent exclus des dispositifs de secours nouvellement créés. Mais la montée du nazisme et la prise du pouvoir par Franco font affluer en France les réfugiés d'Allemagne, d'Autriche, d'Espagne.

Dès l'effondrement de la IIIe République, le régime de Vichy procède à une révision des naturalisations faites depuis 1927 ; 15 000 Français de métropole perdent leur citoyenneté. Elle est aussi retirée aux 110 000 juifs d'Algérie, citoyens français depuis 1870. En juillet 1940, 446 Français qui ont quitté le territoire sans l'autorisation du nouveau gouvernement sont déchus de leur nationalité, leurs biens sont saisis. Parmi ces déchus, premiers résistants de la France libre, figurent Charles de Gaulle et René Cassin. Ce sera le cas aussi pour Maurice Thorez, qui a rejoint l'URSS. Rapidement, les juifs sont exclus de la fonction publique et des métiers de l'information, puis des professions industrielles, commerciales, artistiques. Leurs biens sont « aryanisés ». Un commissariat aux questions juives est créé en 1941. Commencent les internements, les rafles (la principale en juillet 1942), puis les déportations. Des 75 000 déportés pour raisons raciales (juifs, roms), 2 500 seulement ont survécu.

PÉRIL JEUNE

Durant les trente glorieuses, l'immigration est de nouveau massive en France pour répondre aux forts besoins en main-d'œuvre faiblement qualifiée dans l'industrie et le bâtiment. De nombreuses naturalisations sont réalisées, surtout parmi les descendants de migrants en vertu du droit du sol. Au début des années 1970, les résidents de nationalité étrangère sont encore presque 3,5 millions, soit plus de 6 % de la population, avec de forts contingents d'Europe du Sud (Italie, Espagne, Portugal) et du Maghreb. Dans une période d'intense mobilisation politique et syndicale – et de concurrence entre les organisations –, les ouvriers migrants commencent à être représentés, au double sens du terme. La dénonciation de leurs conditions de travail, de vie et de logement amène des améliorations notables (fin des bidonvilles, meilleure sécurité du travail). La jeunesse étudiante proclame son internationalisme. Après l'expulsion de Daniel Cohn-Bendit, les étudiants manifestants de 1968 scandent « nous sommes tous des Juifs allemands ». La chanson à la mode de l'époque célèbre l'étranger réprouvé : « *Avec ma gueule de métèque/De Juif errant, de pâtre grec,/De voleur et de vagabond*[1]. »

Un siècle d'immigration a grandement banalisé le phénomène : un quart des Français contemporains ont au moins un grand-parent d'origine étrangère. Pourtant, la question de l'immigration revient sur le devant de la scène politique et médiatique à partir des années 1980. L'argumentaire des discours emprunte beaucoup aux formes constituées à la fin du XIXe siècle. Mais la population désignée comme présentant un problème pour la nation française a totalement changé : elle n'est plus originaire d'Europe, mais du Maghreb et d'Afrique subsaharienne. Elle présente deux particularités : sa jeunesse (l'étranger dangereux n'est plus le travailleur, mais un adolescent ou un jeune adulte supposé ne pas pouvoir/ne pas vouloir entrer sur le marché de l'emploi) et son origine (l'immigré dangereux pour la nation française est souvent issu de (grands-)parents français et est lui-même français).

---

1. Chanson de Georges Moustaki, *Le Métèque*, 1969.

Les débats contemporains sur l'identité nationale et l'immigration mettent en jeu la distinction radicale qui a fonctionné pendant plus d'un siècle entre Français membres de la nation et Français sujets de l'Empire. Au moment où elle se constituait en nation, la France s'engageait dans la conquête d'un vaste empire colonial. La « plus grande France », selon la formule souvent appliquée à ce gigantesque territoire, avait des populations dont le statut juridique et la représentation différaient radicalement en fonction de leurs origines.

Les colonisés : des Français sans citoyenneté

Au moment de la Révolution, l'Empire colonial français était peu étendu. La monarchie avait pris possession d'immenses territoires en Amérique du Nord, mais elle les avait perdus par suite de défaites militaires. La « Nouvelle France » avait été répartie entre la Couronne anglaise (Canada) et l'Espagne (Louisiane – ce territoire redevint brièvement français avant d'être vendu par Napoléon aux États-Unis). La France de 1789 ne gardait plus guère que les Antilles, sources de grande richesse, notamment par l'exploitation de la canne à sucre et l'utilisation d'esclaves africains. La Révolution y engendra aussitôt des révoltes, propriétaires fonciers d'un côté et esclaves de l'autre essayant d'échapper au contrôle de la métropole. En 1791, les esclaves noirs de Saint-Domingue, colonie française, se rassemblent sous la conduite d'un jeune dirigeant, qui prend le nom de Toussaint Louverture, et s'allient aux Espagnols. En février 1794, à l'instigation de l'abbé Grégoire, la Convention abolit l'esclavage sur l'ensemble des territoires français. Les esclaves insurgés de Saint-Domingue se rallient à la République. Toussaint Louverture engage une autonomisation de l'île. Mais en 1802, Bonaparte envoie un corps expéditionnaire à Saint-Domingue. Capturé, Toussaint Louverture est emprisonné en France. À l'instigation des planteurs, le Premier consul rétablit l'esclavage dans les Antilles. Le corps expéditionnaire ne parvient pas à contrôler Saint-Domingue où une République indépendante est proclamée. Le 1er janvier 1804, l'ancienne colonie française (aujourd'hui Haïti) devient la première république noire libre du monde. Encore doit-elle acheter son indépendance, facturée par la France 150 millions de francs-or, une somme colossale supposée devoir dédommager les anciens colons.

L'abolition définitive de l'esclavage est proclamée par la IIe République, à l'instigation de Victor

Schœlcher, en 1848, après la Couronne britannique (1833) mais avant les États-Unis (1865) et le Brésil (1888). Environ 250 000 esclaves sont libérés. Planteurs et colons reçoivent des indemnisations en dédommagement de la libération des esclaves.

Un bon demi-siècle après la proclamation des droits de l'homme et du citoyen, le principe le plus contraire à la liberté et à l'égalité de naissance a donc été définitivement aboli sur le territoire français. Mais une nouvelle colonisation de grande ampleur démarre. Il faudra attendre la toute fin de l'Empire colonial français pour que l'égalité juridique de ses populations soit reconnue, au moins formellement. Sous l'Ancien Régime, la distinction principale portait entre les sujets libres du royaume et les esclaves ; sous la IIIe République, elle distingue deux catégories de Français : les citoyens de la République et les sujets de l'Empire colonial.

Le principe national impliquait, en rupture avec l'Ancien Régime, le renoncement au droit de conquête sur les territoires des autres nations. Mais ce principe de la propriété nationale inviolable ne fut pas appliqué aux immenses territoires d'Afrique, d'Asie ou d'Océanie colonisés au XIXe siècle par les nouvelles nations européennes. Leurs populations furent déclarées beaucoup trop primitives, trop sauvages, trop arriérées pour former des nations. Des argumentaires plus sophistiqués déclarèrent même que les colonisateurs, en s'emparant de terres insuffisamment exploitées, ne faisaient que remédier à l'incurie des autochtones et œuvraient pour le bien de l'humanité tout entière.

Albert Sarraut, à plusieurs reprises ministre des Colonies, déclarait ainsi :

> La nature a distribué inégalement, à travers la planète, l'abondance et les dépôts de ces matières premières ; et tandis qu'elle a localisé dans cette extrémité continentale qui est l'Europe le génie inventif des races blanches, la science d'utilisation des richesses naturelles, elle a concentré les plus vastes réservoirs de ces matières dans les Afriques, les Asies tropicales, les Océanies équatoriales, vers lesquelles le besoin de vivre et de créer jettera l'élan des pays civilisés. [...] Faut-il laisser en friche, faut-il abandonner aux ronces de l'ignorance ou de l'incapacité les immenses étendues incultes d'où ces nourritures peuvent jaillir ? L'humanité totale doit pouvoir jouir de la richesse totale répandue sur la planète. Cette richesse est le trésor commun de l'humanité[1].

Mais les territoires conquis n'étaient pas vides de populations. Comment les colonisateurs allaient-ils les

1. Albert Sarraut, *Grandeur et servitudes coloniales,* Paris, Sagittaire, 1931.

considérer ? La question ne fut pas tranchée immédiatement. Le premier grand territoire colonisé par la France au XIXe siècle fut l'Algérie : l'essentiel de la pratique coloniale y a été expérimenté avant d'être étendu aux autres colonies. Lors du traité de capitulation signé par le bey d'Alger, le 5 juillet 1830, à la toute fin du régime de Restauration monarchique, la France s'engageait « à ne pas porter atteinte à la liberté des habitants de toutes classes et à leur religion ». Les populations locales restaient régies par un statut particulier, distinct pour les juifs et les musulmans, comme cela avait été le cas dans l'Empire ottoman. Mais l'Algérie, très vite, devient colonie de peuplement. À partir de 1848, elle est partie intégrante de la France et divisée en trois départements. Quel statut donner à la population autochtone, qualifiée d'indigène ? En 1862, la cour d'Alger établit que les indigènes deviennent français sans être admis à la jouissance des droits conférés par le statut de citoyen français. La nationalité est donc dissociée de la citoyenneté. En 1865, le Second Empire promulgue un sénatus-consulte qui permet aux indigènes musulmans et israélites, ainsi qu'aux étrangers justifiant de trois années de résidence en Algérie, de demander à devenir citoyens français. Cette démarche assimilatrice inquiète les colons français, en position de domination sociale et économique, mais peu nombreux par rapport aux « indigènes ». À l'époque, l'Algérie compte 3 millions de musulmans, 250 000 étrangers, 30 000 Juifs et environ 90 000 Français.

En octobre 1870, le décret Crémieux donne le statut de citoyens français aux juifs résidant dans les départements d'Algérie. En métropole, des républicains demandent un accès progressif à la pleine nationalité pour les autres autochtones. Paul Leroy-Beaulieu, fondateur en 1881 avec Victor Schœlcher de la Société française pour la protection des indigènes, demande l'assimilation progressive de tous les indigènes. Mais les représentants des colons s'y opposent avec énergie. Ils obtiennent que la loi de 1889, qui naturalise automatiquement les enfants d'étrangers résidant en France, s'applique aux étrangers vivant en Algérie mais pas aux indigènes musulmans. Ainsi est créée une catégorie de Français très particulière : ils sont exclus de la citoyenneté et la naturalisation devient pour eux plus difficile que pour les étrangers. Le groupe parlementaire colonial, puissant à l'Assemblée, fait régulièrement valoir dans les débats sur l'assimilation le danger d'accorder la citoyenneté à des masses dites ignorantes, fanatiques, belliqueuses et en supériorité démographique.

L'uniformité juridique et administrative du territoire proclamée en 1789 et profondément associée au principe d'égalité juridique des citoyens n'a pas été appliquée dans l'Empire colonial, y compris dans les départements d'Algérie. Alors que les citoyens français étaient régis par le code civil, les indigènes gardaient leur « statut personnel ». Celui-ci ne concernait pas la pratique religieuse à proprement parler, mais un droit de la personne, de la famille et de la transmission patrimoniale en découlant. L'indigène musulman algérien demandant la naturalisation française devait renoncer aux cinq coutumes incompatibles avec le Code civil (polygamie, dispositions concernant l'héritage et la filiation). Ce renoncement officiel pouvait être vécu par les individus comme exclusion de leur communauté d'origine ; il fut rarement demandé. De toute façon, il ne suffisait pas à obtenir la citoyenneté. Les convertis au catholicisme ne furent pas tous naturalisés, certains entrant alors dans la catégorie coloniale – restreinte – des « indigènes musulmans chrétiens ». Inversement, les citoyens français convertis à l'islam ne relevaient pas pour autant du « statut personnel » des indigènes et ne perdaient pas leur nationalité. La catégorie de « musulman » s'avérait plus ethnique ou culturelle que proprement religieuse. À peine plus de 2 000 indigènes algériens (surtout des militaires et des employés de l'État) devinrent citoyens français entre 1865 et 1915[1].

Peu à peu a été constitué un ensemble de dispositions régissant spécifiquement les indigènes des colonies, le code de l'indigénat. Il définissait des infractions spécifiques à la population indigène : réunion ou départ du territoire de la commune sans autorisation, actes irrespectueux, propos offensant vis-à-vis d'un agent de l'autorité, etc. Les dépenses affectées spécifiquement à la population indigène, notamment en matière scolaire, étaient très faibles en regard des ressources fiscales émanant de ces mêmes indigènes. Dans certaines colonies, les indigènes pouvaient être soumis au travail forcé, parfois dans des conditions épouvantables et très meurtrières, comme le dénonce André Gide dans *Voyage au Congo* (1927).

Pendant la Première Guerre mondiale, les colonies fournissent des troupes nombreuses et une importante main-d'œuvre de remplacement à la métropole. Des hommes politiques français comme Georges Clemenceau tentent de lancer un processus de naturalisation collective des indigènes n'impliquant pas le renoncement au statut personnel. Mais le « parti colonial » s'insurge et dénonce le « Tombeau de la suprématie

1. Cf. Patrick Weil, *Qu'est-ce qu'un Français ? Histoire de la nationalité française depuis la Révolution, op. cit.*.

française » en Algérie. Compte tenu de la puissance des forces hostiles à la naturalisation des indigènes, les tentatives d'amélioration du statut des indigènes dans l'entre-deux-guerres ne portent plus sur l'obtention de la citoyenneté mais sur une série de droits (égalité fiscale, droit de vote dans des collèges séparés).

Base arrière de la France libre, à nouveau grand fournisseur de troupes, l'Empire colonial voit enfin son statut évoluer à la Libération. Le statut pénal spécifique des indigènes est supprimé en 1944. La loi du 17 mai 1946 reconnaît la pleine citoyenneté à tous les nationaux français. L'année suivante est posé le principe de l'égalité politique et civique et de l'égal accès aux fonctions publiques. Mais l'Empire touche à sa fin et les guerres d'indépendance, particulièrement meurtrières en Indochine et en Algérie, commencent. Comme dans toutes les colonies des puissances européennes, les mouvements revendiquant l'indépendance et la souveraineté se réclament de la « libération nationale ». Par le biais de la colonisation, le principe national s'étend donc finalement à tous les continents. De nouvelles nationalités et citoyennetés sont créées, qui posent la question de l'hétérogénéité des populations, en inversant les rapports de force. La quasi-totalité des pieds-noirs d'Algérie, dans le climat de grande violence qui marque la période, partent précipitamment en perdant souvent leurs biens. Les accords d'indépendance prévoient que les anciens « indigènes musulmans » d'Algérie peuvent garder la citoyenneté française à condition de demander, sur le territoire français, dans les cinq ans, une déclaration de reconnaissance de la nationalité enregistrée par le ministre chargé des naturalisations.

Français ou immigrés ?

En France métropolitaine s'installent après l'indépendance algérienne d'anciens harkis et leurs familles, ainsi que des ressortissants des nouveaux États du Maghreb. L'industrie et le bâtiment apprécient cette main-d'œuvre francophone et docile. En vertu du droit du sol (ou du double droit du sol : enfants nés en France de parents nés sur un territoire qui était français avant l'indépendance), leurs descendants ont souvent la nationalité française.

Mais dans les années 1970 commence la longue « restructuration » jalonnée de délocalisations et de fermetures d'entreprises. L'immigration n'est plus traitée comme une ressource mais comme un problème. Problème non seulement économique (dans un marché de l'emploi tendu, où le chômage devient fait massif et permanent, l'immigré est accusé de voler le travail des nationaux) mais aussi culturel, social et identitaire. La population qui devient la cible des dénonciations de l'immigration cristallise, de manière impressionnante, un ensemble de représentations négatives constituées depuis deux siècles. Sur le jeune immigré originaire du Maghreb ou d'Afrique se reporte tout le discours colonial qui avait constitué l'indigène en « sujet français » inassimilable. Sur cet habitant des « cités » revient tout le discours de peur sociale opposant le *no man's land* sauvage des faubourgs au monde civilisé des centres urbains et des sages campagnes. Sur cette classe ouvrière des temps de désindustrialisation se reporte la conception de la main-d'œuvre non qualifiée vouée à l'assistanat. Sur cette adolescence populaire se reportent aussi toutes les peurs suscitées depuis le XIXe siècle par la délinquance juvénile et les irrécupérables enfants du ruisseau. La fin de la guerre froide et la situation géopolitique actuelle ajoutent à ce cocktail la constitution de l'islam en nouveau péril mortel pour les démocraties occidentales.

Depuis un quart de siècle, l'immigration, désignée comme problème majeur de l'État et de la société, concentre les angoisses d'une nation qui, ne parvenant plus à produire de représentation positive de son avenir, se fixe dans la mesure du déclin présent et la nostalgie d'un passé épuré.

X

L'ESPACE PUBLIC ET L'ACTUALITÉ

> « La lecture matinale du journal est une forme de bénédiction matinale réaliste. On détermine son attitude face au monde en fonction de Dieu, ou du monde tel qu'il est. L'un et l'autre procurent la même assurance : savoir où on en est. »
>
> Hegel, *Notes et fragments (Iéna 1803-1806).*

L'ère nationale donne une place fondamentale à la notion de public : complexe et multiforme, elle exprime les nouvelles relations entre l'individu et le collectif, entre les citoyens et l'État. Elle indique aussi l'importance croissante de l'information et de la culture. La détermination des partages entre privé et public, en grande reconfiguration aujourd'hui, est au cœur des débats sur l'identité.

Propriété commune et espace public

Avec la nation est apparue l'idée de propriété commune, dont tous peuvent avoir la jouissance, à laquelle tous peuvent accéder, en respectant des règles d'usage et éventuellement en acquittant une contribution : bibliothèques publiques, musées nationaux, jardins publics, parcs nationaux, archives publiques, etc. « Public » est utilisé alors comme synonyme de « national » (ou des autres collectivités publiques : régional, départemental, communal). Le terme « public » s'applique aussi à l'ensemble des administrations et des entreprises gérées par l'État dans l'intérêt collectif : Instruction publique (devenue Éducation nationale), services publics des transports, de l'électricité, du courrier, etc. Le *welfare-state* les avait fortement étendus dans une perspective de développement organisé par la solidarité et la redistribution. En revanche, le libéralisme combat cette implication de l'État dans la vie économique, qu'il veut réserver à la gestion privée. La situation actuelle associe donc fortement nation et services publics d'un côté, univers post-national et secteur privé de l'autre. Le marché commun européen et la mondialisation économique et financière ont imposé, au nom de la libre concurrence, un désengagement de l'État dans la gestion des services publics au profit du privé. Une part importante du public – au sens ici d'usagers – manifeste un attachement fort aux services publics, qui lui paraissent garants d'un souci de justice sociale. Cela explique en partie le « retour du national » à l'ère de la mondialisation, puisque aucune structure post-nationale ne propose un tel niveau de protection et de redistribution sociale.

La notion d'espace public est également caractéristique de la modernité. Elle a d'abord un sens concret, en référence le plus souvent à l'univers urbain. Très majoritairement rurale au début de l'ère nationale, la population se concentre de plus en plus dans les villes. La notion d'urbanisme est apparue au XIXe siècle, exprimant la volonté d'améliorer les villes de manière concertée. L'État, dans sa forme monarchique, avait déjà pu s'en préoccuper. Mais à l'ère nationale, les autorités publiques interviennent de manière décisive et systématique dans la réorganisation des villes, pour des raisons d'hygiène, de sécurité, de politique et d'esthétique.

L'espace public est un lieu d'activités et d'échanges intenses, ouvert à tous. Sa réglementation a été l'objet de nombreux affrontements politiques : liberté de circulation, de manifestation, de regroupement, etc. La législation sur le comportement des individus dans l'espace public est plus contraignante que dans l'espace privé. La pratique du crachat, commune dans les siècles antérieurs, y compris à la cour de Versailles, a été combattue dans les espaces urbains modernes, avant de disparaître dans l'espace privé. L'interdiction de consommation du tabac concerne aujourd'hui de plus en plus d'espaces publics mais ne s'applique pas à l'espace privé. Ce qui ouvre bien sûr des litiges sur la frontière entre espace public et espace privé (comment s'établit-elle, par exemple, dans un commerce, une entreprise ?). La définition des comportements individuels acceptables ou non dans l'espace public est objet perpétuel de renégociations morales et idéologiques. Les tenues indécentes sont interdites sur la voie publique : cela permet de verbaliser le racolage prostitutionnel et l'exhibitionnisme. Mais la définition de la décence est affaire délicate et elle a été bien brouillée dans les dernières décennies. Les prescriptions morales et religieuses traditionnelles en matière sexuelle ont été sérieusement ébranlées. L'affichage de la nudité féminine dans l'espace public ou médiatique est devenue d'une grande banalité : il paraît aujourd'hui incroyable qu'une présentatrice de la télévision publique ait été licenciée en 1964 parce qu'elle avait dévoilé un genou. L'exposition de seins nus sur les plages fut interdite et verbalisée, avant de se banaliser. Elle entre aujourd'hui en désuétude et c'est la baignade habillée qui commence à être traitée comme problème. L'expression de normes religieuses traditionnelles en matière de décence semble aujourd'hui choquante et, dans ses formes extrêmes, contraire à l'ordre public.

L'espace public désigne aussi le nouveau lieu – et les nouvelles formes – de la communication et du débat à l'ère moderne. Pour le sociologue allemand Jürgen Habermas, qui en a été l'un des premiers analystes[1], cette notion a émergé avec la société bourgeoise naissante. L'intensification des échanges, liée à la nouvelle économie de marché, a fait apparaître de nouveaux supports de communication (les journaux) et de nouveaux lieux dans l'espace urbain (les théâtres, les cafés). L'espace public de communication et les limites de son contrôle par l'État est à l'ère nationale un enjeu politique majeur. L'article 11 de la Déclaration des droits de l'homme et du citoyen énonce : « La libre communication des pensées et des opinions est un des droits les plus précieux de l'Homme : tout Citoyen peut donc parler, écrire, imprimer librement, sauf à répondre de l'abus de cette liberté, dans les cas déterminés par la Loi. »

Mais, là encore, l'énoncé du principe précède de beaucoup sa mise en application. On le voit bien à l'exemple de la presse, dont la formidable expansion

1. Jürgen Habermas, *L'Espace public. Archéologie de la publicité comme dimension constitutive de la sphère bourgeoise*, Paris, Payot, 1978.

accompagne la montée en puissance du principe national.

LA PRESSE

Depuis les débuts de l'imprimerie, les autorités ecclésiastiques et étatiques s'étaient inquiétées de cette reproduction facile d'imprimés qui permettait – entre autres – de répandre des pensées contestatrices. Une double censure – religieuse et étatique – fut mise en place. Mais les auteurs et les imprimeurs savaient les déjouer par des publications clandestines. Les autorités ont vite compris que, pour contrôler l'esprit public, il ne suffit pas d'interdire l'expression adverse, il faut aussi lancer ses propres messages. Dès les débuts de la publication périodique, le pouvoir monarchique a pris conscience de son pouvoir sur l'esprit public. La *Gazette* de Théophraste Renaudot, créée en 1631 et soutenue par Richelieu, diffusait des récits de guerre et des commentaires sur la vie politique française. Elle était un élément de consolidation et de glorification du pouvoir royal. Au XVIIIe siècle, une presse diversifiée apparaît sous surveillance du pouvoir. Journaux et journalistes connaissent une première période de gloire sous la Révolution. Mais la véritable consécration de la presse comme « quatrième pouvoir » a lieu au XIXe siècle. Le journal était à l'origine un produit coûteux, accessible seulement à une minorité. Il était vendu uniquement sur abonnement annuel. Dans les villes, les cabinets de lecture permettaient aux moins fortunés de consulter le journal (ou des livres) : comme dans les cybercafés d'aujourd'hui, on payait un temps de consultation. Des innovations en matière de technologie et de marketing ont tout changé. Il y a eu d'abord l'introduction de la publicité. En 1836, Émile de Girardin a divisé par deux le prix d'abonnement de son journal, *La Presse*, en misant sur un financement par les annonceurs. Mais, pour attirer les annonceurs, il fallait accroître le public, et donc lui proposer des contenus attractifs. C'est le début du roman-feuilleton, une rubrique à gros succès. Les faits-divers, récits alléchants de la vie quotidienne, servent aussi à attirer le public. L'alliance entre information politique et événementielle, fiction, scénarisation de la vie ordinaire et publicité commerciale se noue dès cette période. Avec l'invention de la rotative en 1845 on peut réaliser rapidement de gros tirages. Avec les chemins de fer les temps de distribution sont raccourcis. La démocratisation de la presse passe à un nouveau stade avec la création en 1863 du *Petit Journal*, le premier quotidien vendu au numéro. La Belle Époque est l'âge d'or de la presse française, avec des tirages qui se comptent en millions. La lecture du journal devient une pratique normale pour toutes les couches de la population, même si elle est longtemps jugée inconvenante pour les femmes (en fait, elles ne s'abstiennent pas de lire le journal mais elles le font dans l'espace privé ; jusqu'à la fin du XXe siècle, il était rare de voir une femme lire un quotidien dans un espace public).

L'OPINION PUBLIQUE

Le livre a été la première marchandise industrielle produite en série. Le journal est sans doute le premier produit conçu comme production de masse à usage éphémère, pour ne pas dire jetable. Alors que le livre a été conçu comme conservation durable de savoir ou de création textuelle, le journal est destiné à être périmé sitôt consommé. Son objet, c'est l'actualité : c'est-à-dire une immédiateté vite révolue. Il participe du nouveau rapport au temps, de plus en plus fractionné, qui caractérise l'ère moderne. L'actualité, c'est une information à durée provisoire que chacun doit s'approprier pour participer aux nouvelles formes d'échanges et de sociabilité. La presse est donc un facteur extrêmement important de structuration de la communauté nationale, comme l'a souligné Benedict Anderson. La consommation du journal, répétée chaque jour, est à la fois privée et collective : elle est généralement individuelle et silencieuse mais chaque lecteur sait que simultanément des milliers d'autres découvrent les mêmes informations. La lecture de la presse s'apparente à une célébration quotidienne, non plus religieuse mais séculière : l'analogie a été reprise pour le « journal télévisé », désigné comme « grand-messe du 20 heures ». La presse définit les savoirs temporaires partagés, les sujets dont on parle et dont on débat, les événements qui enthousiasment ou indignent, et cela des châteaux aux chaumières. Ce creuset de l'opinion publique suscite donc beaucoup d'inquiétudes. En 1845, le baron de Chapuys-Montlaville s'exclame déjà, dans un discours à la Chambre des députés : « La presse, ce pouvoir redoutable, manifestation de la vie nationale, ce pouvoir qui enfante tous les autres pouvoirs, qui a créé dans ce pays une histoire et une société nouvelles. »

Dans une société qui adopte le principe de la représentation politique, il est capital de savoir comment et par qui se constituent les représentations culturelles et idéologiques. Qui influe sur le cerveau des électeurs, qui oriente l'opinion publique ? Napoléon aurait voulu un seul journal entièrement contrôlé par lui et il installe à nouveau la censure en 1810. Avec le rétablissement du suffrage, il y a eu ensuite une série de libéralisations et de renforcements des contrôles, jusqu'à la loi sur la liberté de la presse de 1881. La censure, sans disparaître, a été désormais modérée, sauf pendant les périodes de guerre (guerre d'Algérie incluse) où les journaux paraissaient avec des « blancs », et dans certains cas étaient saisis. Cette grande liberté de la presse française à l'égard du pouvoir ne voulait pas dire indépendance vis-à-vis d'intérêts économiques ou d'influences diverses (éventuellement de puissances étrangères).

Conscients de leur force de propagande, les pouvoirs politiques se sont montrés très attentifs aux nouveaux médias qui, à partir des années 1920, ont concurrencé la presse écrite. L'usage de la radio par le pouvoir hitlérien en a montré la puissance d'impact sur les masses. Le premier ministère de l'Information français a été créé en 1938. Sous l'Occupation, Pétain causait régulièrement sur les ondes tandis que l'écoute de Radio Londres, interdite, était acte de résistance à la Collaboration. Après la Libération, la radio – puis la télévision – est devenue un service public sous contrôle de l'exécutif, en situation de monopole. Les radios privées émettaient depuis des territoires limitrophes (Radio-Luxembourg, Radio Monte-Carlo, Europe 1). Le monopole d'État sur la radio-télévision, dénoncé comme un redoutable moyen de contrôle des cerveaux par l'exécutif, a été supprimé après l'élection de François Mitterrand. Mais la libéralisation a mis à mal la politique étatique de défense et promotion de la culture nationale. Une des justifications du monopole de l'ancienne ORTF était la mission éducative impartie à la télévision pour la mise en valeur du patrimoine et de la création nationale. La télévision privée, elle, diffuse entre les annonces publicitaires des programmes bon marché et d'occasion (comme les séries télévisées américaines) ou destinés à attirer le plus grand public, sans aucune préoccupation éducative ou culturelle : de plus en plus souvent, il s'agit d'adaptations de « concepts » internationaux (c'est le cas de la plupart des émissions de « télé-réalité »).

Mais le XXIe siècle commence sous le signe d'Internet, qui bouleverse le rapport entre espace public et privé. Sa structure communicationnelle en réseaux, sans limites définies, est en rupture complète avec l'organisation spatiale des médias antérieurs. Il fonctionne comme espace public absolu, non hiérarchisé, non centralisé, difficilement contrôlable par les États, dans la temporalité immédiate de l'électronique. Ce nouvel espace de communication et d'information porte aussi des objectifs commerciaux et permet un pouvoir monopolistique, cette fois privé et à échelle planétaire : l'évolution de Google en est la preuve.

CONCLUSION

CRISE D'IDENTITÉ, CRAINTE D'AVENIR

Nous vivons depuis peu une situation hautement paradoxale : l'identité d'un individu est cernée à un extrême degré de précision et pourtant le même individu dispose d'un choix d'identités illimité. Les premiers papiers d'identité, au XIXe siècle, décrivaient leurs porteurs par la couleur des yeux, des cheveux, la forme du menton et autres approximations. Les plus récents consignent des données biométriques. L'ADN singularise chaque être humain et informe de surcroît sur son passé (sa filiation biologique, fût-elle tenue secrète) et son avenir (les maladies auxquelles il est particulièrement exposé). La révolution électronique permet de connaître les déplacements et les activités de chacun, par les adresses IP, les GPS, les cartes de crédit, de transport, de salles de sport, etc. La synthèse de ces données permet de cerner l'individu mieux qu'il ne se connaît lui-même. Mais la précision absolue de l'identification est contemporaine de l'expansion illimitée des identités que chacun peut s'attribuer. L'affaiblissement des prescriptions en matière d'appartenance sociale, sexuelle, générationnelle permettait depuis plusieurs décennies une certaine gamme de choix identitaires en matière de loisirs, de sociabilité, de consommation. Internet offre maintenant l'expérimentation de toutes formes d'existence sociale et d'expression de soi ; il rend possible tous les choix d'appartenance, de surcroît en simultané et sans obligation de cohérence ni d'engagement. L'individu peut jouer toutes les vies qu'il souhaite, et par des alias transformer toutes ses caractéristiques d'âge, de sexe, de biographie. Cette situation vertigineuse explique en partie le regain d'intérêt pour des déterminismes antérieurs : leur contrainte paraît un recours salutaire contre une liberté identitaire qui peut confiner à la dissolution de l'individu. L'attractivité nouvelle des identifications collectives à fort pouvoir de cohésion, religieuses ou nationales, en est une manifestation.

Mais les questionnements actuels sur l'identité nationale correspondent aussi à la crise du politique au temps de la mondialisation. Les États modernes ne contrôlent plus les puissances économiques et financières, comme le reconnaissent régulièrement hommes et femmes politiques. Ces aveux d'impuissance au niveau national n'aboutissent pas cependant à la reconstitution d'un pouvoir politique à niveau supranational. Les organisations internationales existantes, issues de la Seconde Guerre mondiale et de la guerre froide, ont une gestion lente et lourde inadaptée à la rapidité des flux financiers et aux transformations de la production. Les nouvelles instances imaginées pour répondre aux urgences actuelles en matière d'économie ou d'environnement, G20 ou sommet de Copenhague, échouent à mettre en œuvre une volonté générale supranationale protectrice de l'intérêt collectif. Les dirigeants politiques actuels sont partagés entre la claire conscience du niveau des problèmes à résoudre et la détermination de leurs carrières au niveau national. Il n'y a pas non plus d'espace public international. L'Union européenne, lorsqu'elle est passée à l'échelle continentale, aurait pu être l'expérimentation d'un pouvoir politique transnational efficace, adapté à la mondialisation : ce ne fut pas le cas. On comprend l'attachement des populations aux cadres nationaux. Seul l'État-nation organise une certaine solidarité entre ses membres et une protection sociale pour ses ressortissants. L'éducation et la socialisation dans la nation font naître des sentiments d'attachement profondément ancrés et proposent à chacun une place dans un collectif stable. En l'absence d'autres perspectives, l'impuissance des États-nations ne diminue pas les attentes qui y sont mises, au contraire. L'angoisse de l'avenir nourrit plutôt le fantasme d'un retour vers le passé et l'illusion que l'élimination d'une partie de la population (la plus fragile, la plus récente) rendrait aux structures protectrices leur ancienne vigueur. L'aggravation de la crise actuelle peut provoquer des flambées xénophobes et le retour à des situations de violence et d'insécurité oubliées depuis des décennies. Les enjeux en termes de paix, de développement économique et d'environnement sont aujourd'hui assez considérables pour qu'on envisage aussi sérieusement une autre option : la réinvention du politique, en termes de concepts et de fonctionnement.

En savoir plus

ANDERSON, Benedict, *L'Imaginaire national. Réflexions sur l'origine et l'essor du nationalisme*, Paris, La Découverte, 1996.

BAGGIONI, Daniel, *Langues et nations en Europe*, Paris, Payot, 1997.

CITRON, Suzanne, *Le Mythe national, l'Histoire de France en question*, Paris, Les Éditions ouvrières, 1987.

DIECKHOFF, Alain, *La Nation dans tous ses États. Les identités nationales en mouvement*, Paris, Flammarion, 2000.

FRANCFORT, Didier, *Le Chant des Nations. Musiques et cultures en Europe, 1870-1914*, Paris, Hachette Littératures, 2004.

GEARY, Patrick J., *Quand les nations refont l'histoire. L'invention des origines médiévales de l'Europe*, Paris, Aubier, 2004.

GELLNER, Ernst, *Nations et nationalisme*, Paris, Payot, 1989.

HOBSBAWM, Eric et RANGER, Terence, *L'Invention de la tradition*, Paris, Éditions Amsterdam, 2006.

LELIÈVRE, Claude, *Histoire des institutions scolaires (depuis 1789)*, Paris, Nathan, 1991.

POULOT, Dominique, *Musée, nation, patrimoine, 1789-1815*, Paris, Gallimard, 1997.

RENAN, Ernest, *Qu'est-ce qu'une nation ?*, Paris, Mille et une nuits, 1997.

NOIRIEL, Gérard, *Immigration, antisémitisme et racisme en France (XIXe-XXe siècle), Discours publics, humiliations privées*, Fayard, 2007.

NOIRIEL, Gérard, *Le Massacre des Italiens. Aigues-Mortes, 17 août 1893*, Paris, Fayard, 2009.

PROST, Antoine, *Regards historiques sur l'éducation en France, XIXe-XXe siècles*, Paris, Belin, 2007.

SAADA, Emmanuelle, *Les Enfants de la colonie. Les métis de l'Empire français, entre sujétion et citoyenneté*, Paris, La Découverte, 2007.

WEIL, Patrick, *Qu'est ce qu'un Français ? Histoire de la nationalité française depuis la Révolution*, Paris, Grasset, 2002.

Table

DANS LA MÊME COLLECTION

François Heisbourg, Après Al Qaida. La nouvelle génération du terrorisme, *2009.*

Denis Labayle, Pitié pour les hommes. L'euthanasie : le droit ultime, *2009.*

Jean Birnbaum, Les Maoccidents. Un néoconservatisme à la française, *2009.*

Nicolas Offenstadt, L'Histoire bling-bling. Le retour du roman national, *2009.*

Florence Noiville, J'ai fait HEC et je m'en excuse, *2009.*

Thomas Legrand, Ce n'est rien qu'un président qui nous fait perdre du temps, *2010.*

François Heisbourg, Vainqueurs et vaincus. Lendemains de crise, *2010.*

Sylvestre Huet, L'imposteur, c'est lui. Réponse à Claude Allègre, *2010.*

Pour l'éditeur, le principe est d'utiliser des papiers composés de fibres naturelles, renouvelables, recyclables et fabriquées à partir de bois issus de forêts qui adoptent un système d'aménagement durable.

En outre, l'éditeur attend de ses fournisseurs de papier qu'ils s'inscrivent dans une démarche de certification environnementale reconnue.

Ce volume a été composé
par Nord Compo à Villeneuve d'Ascq

Cet ouvrage a été imprimé en France par
CPI Bussière
à Saint-Amand-Montrond (Cher)
en septembre 2010

N° d'édition : 01. – N° d'impression : 102472/4.
Dépôt légal : octobre 2010.
54-07-7055/4